한국어능력시험

한 번에 합격!

Topik 토픽 II

강경민, 김승수, 김지혜, 김풀잎, 린미, 부이티낌응언,
양길류, 쩐후인안트, 최단, 홍고은 공편저

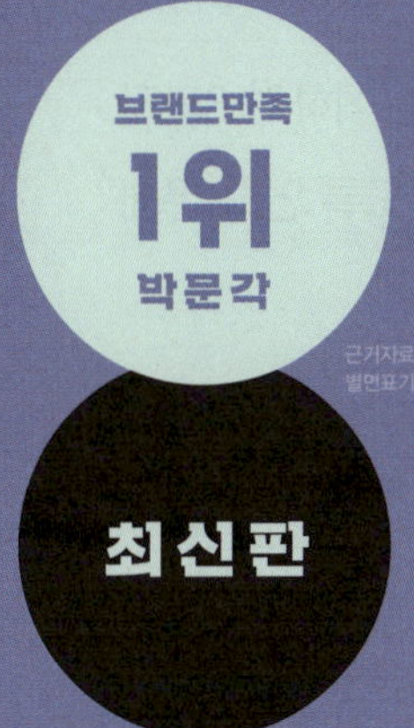

□ 문제 유형별 풀이 전략 제시
□ 최신 기출문제 완벽 반영
□ 실전 모의고사 2회 수록

Listening

듣기

박문각

▶ 동영상 강의 www.pmg.co.kr

머리말

TOPIK II 듣기는 많은 수험생이 어렵게 느끼는 영역입니다. 단순히 한국어를 알아듣는 것을 넘어, 뉴스·토론·강연 등 다양한 담화 상황을 정확히 이해하고 화자의 의도까지 파악해야 하기 때문입니다. 특히 뒤 문항으로 갈수록 속도가 빨라지고 어휘 수준이 높아지는 만큼, 전략 없이는 제한된 시간 안에 정답을 찾기가 쉽지 않습니다.

이 교재는 수험생 여러분이 듣기 영역을 효과적으로 준비할 수 있도록 다음과 같이 구성하였습니다.

첫째, 문항 유형별 맞춤 전략을 제시하였습니다. 1번부터 50번까지 모든 문항을 분석하여 8가지 핵심 전략으로 정리하였으며, 각 전략을 실제 문제에 바로 적용해 볼 수 있도록 연습 문제를 함께 배치하였습니다.

둘째, 다국어 어휘 지원을 통해 학습 효율을 높였습니다. 기출문제에 자주 등장하는 핵심 어휘와 표현을 엄선하여 체계적으로 제시하고, 연습 문제 및 모의고사에 수록된 주요 단어에 한국어 풀이와 함께 중국어·베트남어 뜻을 병기하였습니다. 사전을 찾는 번거로움을 줄여 오직 듣기 학습에만 집중할 수 있도록 돕기 위해서입니다.

셋째, 실전 모의고사로 학습의 완성도를 높였습니다. 실제 시험과 동일한 구성의 모의고사 2회분을 수록하였으며, 해설지에는 정답의 근거와 함께 오답이 되는 이유까지 상세히 풀이하여 수험생이 스스로 취약점을 파악하고 보완할 수 있도록 하였습니다.

TOPIK II 점수는 여러분의 학업과 취업, 한국에서의 생활을 위한 중요한 발판이 될 것입니다. 이 교재가 제시하는 전략을 차근차근 따라가다 보면 듣기 실력이 어느새 눈에 띄게 향상되어 있을 것입니다. 여러분의 목표 급수 달성을 진심으로 응원합니다.

2026년 3월
집필진 일동

TOPIK 소개

Guide 1   TOPIK(Test of Proficiency in Korean) 시험 안내

1. 시험 개요

- **시험 목적**: 한국어를 모국어로 하지 않는 재외동포 · 외국인의 한국어 학습 방향 제시 및 한국어 보급 확대, 한국어 사용 능력을 측정 · 평가하여 그 결과를 국내 대학 및 취업 등에 활용
- **응시 대상**: 한국어를 모국어로 하지 않는 재외동포 · 외국인
- **유효 기간**: 성적 발표일로부터 2년간 유효
- **주관 기관**: 교육부 국립국제교육원

2. 시험 방식

한국어능력시험(TOPIK)은 시험 방식에 따라 PBT(Paper-Based Test)와 IBT(Internet-Based Test)로 나뉘어 시행됩니다. 두 방식 모두 동일한 등급 체계와 합격 기준을 따르며, 학습자는 본인의 타이핑/필기 선호도에 맞춰 선택하여 응시할 수 있습니다.

▌ TOPIK PBT vs IBT 한눈에 비교하기

구분	PBT (Paper-Based Test)	IBT (Internet-Based Test)
시험 방식	종이 시험지 + OMR 카드 마킹	고사장 내 PC 및 마우스/키보드 사용
듣기 영역	고사장 스피커로 전체 방송	개별 헤드셋 착용 후 청취
쓰기 영역	원고지에 직접 손글씨로 작성	키보드로 한글 타이핑 입력
읽기 영역	시험지에 밑줄을 그으며 문제 풀이	모니터 화면으로 지문을 읽고 클릭
준비물	수험표, 신분증, 수정테이프 등	수험표, 신분증 (메모용 연습지 제공)
성적 발표	시험일로부터 약 6~7주	시험일로부터 약 1~2주 후 (매우 빠름)
핵심 차이점	띄어쓰기와 원고지 작성법의 정확한 숙지 필요, 글씨체도 중요	한국어 타이핑 속도 중요, 수정이 매우 간편한 장점

3. 시험 시간 및 문항 구성

1) 토픽 PBT

■ 시험 수준 및 등급

구분	토픽 I		토픽 II			
	1급	2급	3급	4급	5급	6급
등급 결정	80~139	140~200	120~149	150~189	190~229	230~300

※ 35회 이후 시험기준으로 토픽 I 은 초급, 토픽 II 는 중 · 고급 수준입니다.

■ 시험 시간표

시험 수준	교시	영역	한국 기준			시험 시간(분)
			입실 완료 시간	시험 시작	시험 종료	
토픽 I	1교시	듣기, 읽기	09:20 까지	10:00	11:40	100
토픽 II	1교시	듣기, 쓰기	12:20 까지	13:00	14:50	110
	2교시	읽기	15:10 까지	15:20	16:30	70

■ 시험 수준별 구성

시험 수준	교시	영역	문제 유형	문항 수	배점	총점
토픽 I	1교시	듣기	선택형	30	100	200
		읽기	선택형	40	100	
토픽 II	1교시	듣기	선택형	50	100	300
		쓰기	서답형	4	100	
	2교시	읽기	선택형	50	100	

● 선택형 문항(4지선다형)

● 서답형 문항(쓰기 영역)

  – 문장완성형(단답형): 2문항

  – 작문형: 2문항(200~300자 정도의 중급 수준 설명문 1문항, 600~700자 정도의 고급 수준 논술문 1문항)

TOPIK 소개

📑 시험 수준 및 등급

구분	토픽 I		토픽 II			
	1급	2급	3급	4급	5급	6급
등급 결정	121~235	236~400	191~290	291~360	361~430	431~600

📑 시험 시간표

시험 수준	영역	한국 기준				시험 시간(분)
		입실 시작 시간	입실 완료 시간	시험 시작	시험 종료	
토픽 I IBT	듣기(30분) 읽기(40분)	08:30부터	08:50까지	9:30	10:40	70분
토픽 II IBT	듣기(35분) 읽기(40분) 쓰기(50분)	12:00부터	12:20까지	13:00	15:05	125분

📑 시험 수준별 구성

구분	토픽 I IBT		토픽 II IBT		
	듣기	읽기	듣기	읽기	쓰기
평가 영역별 시험 시간	30분	40분	35분	40분	50분
평가 영역별 문제 수	26문제	26문제	30문제	30문제	3문제
평가 영역별 만점	200점	200점	200점	200점	200점
총점	400점		600점		

Guide 2 TOPIK Ⅱ 등급별 평가 기준

등급	주요 평가 기준
3급	일상생활 유지에 어려움이 없으며, 공공시설 이용 및 사회적 관계 유지에 필요한 기초 언어 기능을 수행할 수 있음.
4급	뉴스, 신문 기사 중 평이한 내용을 이해할 수 있으며, 일반적인 사회적 · 추상적 소재를 비교적 정확하고 유창하게 사용 가능함.
5급	전문 분야에서의 연구나 업무 수행에 필요한 언어 기능을 어느 정도 수행할 수 있으며, 정치 · 경제 · 사회 · 문화 전반의 소재를 이해함.
6급	전문 분야의 업무 수행을 비교적 정확하고 유창하게 수행 가능. 원어민 수준에는 미치지 못하나 의미 표현에 어려움을 겪지 않음.

Guide 3 TOPIK Ⅱ 듣기 문항 분석

■ **듣기(Listening)**

- 1번~30번: 일상 대화, 인터뷰, 안내 방송을 듣고, 이어지는 말과 행동, 중심 생각, 일치하는 것을 파악하는 문항 등
- 31번~50번: 강연, 토론, 다큐멘터리 등 전문적 담화의 중심 내용, 화자의 태도, 세부 정보와 담화 상황을 파악하는 문항 등

[듣기] 유형 소개

TOPIK Ⅱ 듣기 영역은 총 50문항으로 구성되며, 일상 대화부터 뉴스·강연에 이르기까지 다양한 상황을 듣고 상황 파악, 세부 정보 확인, 화자의 의도·태도 이해, 중심 내용 파악 등의 능력을 종합적으로 평가합니다. 다음은 듣기 문항을 해결하는 데 필요한 8가지 핵심 전략별 문항 구성입니다.

❶ 대화의 상황과 어울리는 그림·그래프 고르기

1~3번 문제가 이 전략에 해당합니다. 짧은 대화를 듣고 상황에 맞는 그림(1, 2번)과 그래프(3번)를 고르는 유형입니다. 인물·장소·상황을 빠르게 파악하고, 보기의 정보를 미리 확인해 예측하며 듣는 것이 중요합니다.

❷ 이어질 말 또는 행동 고르기

4~12번 문제가 이 전략에 해당합니다. 4~8번은 짧은 대화를 듣고 마지막에 이어질 적절한 응답을 추론하여 답하는 문항입니다. 9~12번은 대화 참여자의 이어질 행동을 추론하여 답하는 문항입니다. 화자의 마지막 문장의 지시·약속·요청 표현에 주목해야 합니다.

❸-1 세부 내용 이해하기

세부 내용을 파악하여 일치하는 내용을 고르는 〈3. 세부 내용 이해하기〉 전략은 단일형 문제인지, 묶음형 문제인지에 따라 〈3-1〉과 〈3-2〉로 나뉩니다. 먼저 13~16번은 〈3-1. 세부 내용 이해하기〉 전략에 해당합니다. 비교적 짧은 대화·설명을 듣고 직접 언급되는 사실 정보를 정확히 확인하는 문제입니다. '누가, 언제, 무엇을'처럼 핵심 정보를 중심으로 들어야 합니다.

❸-2 세부 내용 이해하기

[21~22번] 중 22번, [23~24번] 중 24번, [25~26번] 중 26번, [27~28번] 중 28번, [29~30번] 중 30번, [33~34번] 중 34번, [35~36번] 중 36번, [37~38번] 중 38번, [39~40번] 중 40번, [41~42번] 중 42번, [43~44번] 중 44번, [45~46번] 중 45번, [47~48번] 중 47번, [49~50번] 중 49번 문제가 이 전략에 해당합니다.

강연, 다큐멘터리, 전문가 인터뷰 등 정보량이 많은 지문을 듣고 문제를 푸는 형태입니다. 여러 정보를 종합해 판단해야 하며, 다르게 표현된 정보, 지문의 흐름 전체를 파악하는 능력이 요구됩니다.

❹-1 중심 생각 파악하기

지문을 듣고 중심 생각과 내용을 파악하는 〈4. 중심 생각/내용 파악하기〉 전략은 문제가 요구하는 것이 생각인지, 내용인지에 따라 〈4-1〉과 〈4-2〉로 나뉩니다. 먼저 17~20번과 [20~21번] 중 21번,

[25~26번] 중 25번, [31~32번] 중 31번, [37~38번] 중 37번 문제가 〈4-1. 중심 생각 파악하기〉 전략에 해당합니다.

대화 · 인터뷰 · 토론을 듣고 화자의 핵심적인 생각을 찾는 문제입니다. 반복되는 핵심어, 결론 문장을 토대로 화자의 중심 생각을 파악해야 합니다.

4-2 중심 내용 파악하기

[41~42번] 중 41번 문제가 이 전략에 해당합니다. 한 명의 화자가 전문적인 내용을 5~8문장으로 설명하는 강연을 듣고 핵심 내용을 요약하는 문제입니다. 전체 흐름을 파악하며 들으며 전문 용어 및 주제어에 주목해야 합니다.

5 주제(화제) 고르기

[33~34번] 중 33번, [43~44번] 중 43번 문제가 이 전략에 해당합니다. 강연, 다큐멘터리 등 비교적 긴 담화를 듣고 무엇에 대한 내용인지를 파악하는 유형입니다. 세부 정보보다는 전체 흐름 · 반복되는 핵심어, 마무리 문장에 집중해야 합니다.

6 화자의 신분·말하기 태도 파악하기

[29~30번] 중 29번, [31~32번] 중 32번, [45~46번] 중 46번, [47~48번] 중 48번, [49~50번] 중 50번 문제가 이 전략에 해당합니다. 인터뷰를 듣고 화자가 누구인지 추론하는 문제(29번)와 화자가 말하는 태도 · 방식을 파악하는 문제(32번, 46번, 48번, 50번)를 하나의 전략으로 제시하였습니다. 인터뷰나 대화를 듣고 화자가 어떤 사람인지 추론하고, 어떠한 태도로 말하고 있는지를 추론하는 유형입니다. 업무 관련 표현, 어조 변화를 중심으로 들어야 합니다.

7 담화 상황 고르기

[23~24번] 중 23번, [35~36번] 중 35번 문제가 이 전략에 해당합니다. 공공장소에서의 대화(23번) 또는 공식적인 상황에서의 인사말, 현장 발표(35번)를 듣고 화자가 지금 무엇을 하고 있는지 상황을 파악합니다. 선택지의 서술어를 미리 보고 화자의 상황을 예측하는 것은 화자가 무엇을, 어떻게, 왜 하고 있는지 담화 상황을 파악하는 데 도움이 됩니다.

8 화자의 의도 및 이전의 대화 내용 파악하기

[27~28번] 중 27번, [39~40번] 중 39번 문제가 이 전략에 해당합니다. 대화를 듣고 화자의 의도를 찾는 27번 문제, 대담을 듣고 이전 대화를 추론하는 39번 문제를 하나의 전략으로 제시하였습니다. 화자의 의도를 파악하기 위해서는 대화 속 숨겨진 목적, 설득 · 조언 · 불만 등을 파악해야 합니다. 현재 대화 전에 어떤 이야기를 나누고 있었는지 추론하기 위해서는 대화의 첫 문장을 잘 들어야 합니다.

[듣기] 유형 소개

■ 한눈에 정리하는 시험 구성과 전략

문항 번호		지문	문제 유형	전략	쪽
1~3번	1	대화	다음을 듣고 가장 알맞은 그림 또는 그래프를 고르십시오.	1. 대화의 상황과 어울리는 그림과 그래프 찾기	20–30p
	2	대화		1. 대화의 상황과 어울리는 그림과 그래프 찾기	20–30p
	3	뉴스		1. 대화의 상황과 어울리는 그림과 그래프 찾기	20–30p
4~8번	4	대화	다음을 듣고 이어질 수 있는 말로 가장 알맞은 것을 고르십시오.	2. 이어지는 말이나 행동 고르기	31–38p
	5	대화			31–38p
	6	대화			31–38p
	7	대화			31–38p
	8	대화			31–38p
9~12번	9	대화	다음을 듣고 여자가 이어서 할 행동으로 가장 알맞은 것을 고르십시오.		31–38p
	10	대화			31–38p
	11	대화			31–38p
	12	대화			31–38p
13~16번	13	대화	다음을 듣고 들은 내용과 같은 것을 고르십시오.	3-1. 세부 내용 이해하기	39–41p
	14	안내/공지			39–41p
	15	뉴스/보도			39–41p
	16	인터뷰			39–41p
17~20번	17	대화	다음을 듣고 남자의 중심 생각으로 가장 알맞은 것을 고르십시오.	4-1. 중심 생각 파악하기	46–50p
	18	대화			46–50p
	19	대화			46–50p
	20	인터뷰			46–50p
21~22번	21	대화	남자의 중심 생각으로 가장 알맞은 것을 고르십시오.	4-1. 중심 생각 파악하기	46–50p
	22	대화	들은 내용과 같은 것을 고르십시오.	3-2. 세부 내용 이해하기	42–45p

23~24번	23	대화	남자(여자)가 무엇을 하고 있는지 고르십시오.	7. 담화 상황 고르기	66—70p
	24	대화	들은 내용과 같은 것을 고르십시오.	3-2. 세부 내용 이해하기	42—45p
25~26번	25	인터뷰	남자의 중심 생각으로 가장 알맞은 것을 고르십시오.	4-1. 중심 생각 파악하기	46—50p
	26	인터뷰	들은 내용과 같은 것을 고르십시오.	3-2. 세부 내용 이해하기	42—45p
27~28번	27	대화	남자가 말하는 의도로 알맞은 것을 고르십시오.	8. 화자의 의도 및 이전의 대화 내용 파악하기	71—76p
	28	대화	들은 내용과 같은 것을 고르십시오.	3-2. 세부 내용 이해하기	42—45p
29~30번	29	인터뷰	남자(여자)가 누구인지 고르십시오.	6. 화자의 신분과 말하기 태도(방식) 파악하기	60—65p
	30		들은 내용과 같은 것을 고르십시오.	3-2. 세부 내용 이해하기	42—45p
31~32번	31	토론	남자의 중심 생각으로 가장 알맞은 것을 고르십시오.	4-1. 중심 생각 파악하기	46—50p
	32		남자의 태도로 가장 알맞은 것을 고르십시오.	6. 화자의 신분과 말하기 태도(방식) 파악하기	60—65p
33~34번	33	강연	무엇에 대한 내용인지 알맞은 것을 고르십시오.	5. 주제(화제) 고르기	55—59p
	34		들은 내용과 같은 것을 고르십시오.	3-2. 세부 내용 이해하기	42—45p
35~36번	35	공식적 담화	남자가 무엇을 하고 있는지 고르십시오.	7. 담화 상황 고르기	66—70p
	36		들은 내용과 같은 것을 고르십시오.	3-2. 세부 내용 이해하기	42—45p
37~38번	37	전문가 인터뷰	여자의 중심 생각으로 가장 알맞은 것을 고르십시오.	4-1. 중심 생각 파악하기	46—50p
	38		들은 내용과 같은 것을 고르십시오.	3-2. 세부 내용 이해하기	42—45p
39~40번	39	대담	이 대화 전의 내용으로 가장 알맞은 것을 고르십시오.	8. 화자의 의도 및 이전의 대화 내용 파악하기	71—76p
	40		들은 내용과 같은 것을 고르십시오.	3-2. 세부 내용 이해하기	42—45p

41~42번	41	강연	이 강연의 중심 내용으로 가장 알맞은 것을 고르십시오.	4-2. 중심 내용 파악하기	51-54p
	42		들은 내용과 같은 것을 고르십시오.	3-2. 세부 내용 이해하기	42-45p
43~44번	43	다큐 멘터리	무엇에 대한 내용인지 알맞은 것을 고르십시오.	5. 주제(화제) 고르기	55-59p
	44		(지문 내용 관련) 맞는 것을 고르십시오.	3-2. 세부 내용 이해하기	42-45p
45~46번	45	강연	들은 내용과 같은 것을 고르십시오.	3-2. 세부 내용 이해하기	42-45p
	46		여자가 말하는 방식으로 알맞은 것을 고르십시오.	6. 화자의 신분과 말하기 태도(방식) 파악하기	60-65p
47~48번	47	대담	들은 내용과 같은 것을 고르십시오.	3-2. 세부 내용 이해하기	42-45p
	48		남자의 태도로 알맞은 것을 고르십시오.	6. 화자의 신분과 말하기 태도(방식) 파악하기	60-65p
49~50번	49	강연	들은 내용과 같은 것을 고르십시오.	3-2. 세부 내용 이해하기	42-45p
	50		남자의 태도로/말하는 방식으로 알맞은 것을 고르십시오.	6. 화자의 신분과 말하기 태도(방식) 파악하기	60-65p

🔖 배점표

문항 번호	배점	문항 번호	배점	문항 번호	배점	문항 번호	배점
1	2	15	2	29	2	43	2
2	2	16	2	30	2	44	2
3	2	17	2	31	2	45	2
4	2	18	2	32	2	46	2
5	2	19	2	33	2	47	2
6	2	20	2	34	2	48	2
7	2	21	2	35	2	49	2
8	2	22	2	36	2	50	2
9	2	23	2	37	2	총점	100
10	2	24	2	38	2		
11	2	25	2	39	2		
12	2	26	2	40	2		
13	2	27	2	41	2		
14	2	28	2	42	2		

* 총 50문항 x 각 2점

구성과 특징

① 문항 유형 분석 및 8가지 핵심 전략 제시

TOPIK Ⅱ 듣기 1~50번 문항의 특징을 분석하고, 문제 해결에 반드시 필요한 〈8가지 핵심 전략〉을 제시하였습니다. 대화의 상황 파악부터 세부 정보 확인, 화자의 의도 추론까지 목표 점수 달성을 위한 체계적인 듣기 학습 방향을 잡을 수 있도록 구성하였습니다.

② 기출 분석을 통한 빈출 상황 및 주제 정리

최신 기출문제를 철저히 분석하여 일상 대화, 사회 현상 등 듣기 시험에 자주 출제되는 상황과 주제를 한눈에 보기 쉽게 정리하였습니다. 문항별 빈출 주제를 정리하고 관련 팁을 제시하여 어떤 지문에도 당황하지 않고 내용을 예측하며 들을 수 있도록 하였습니다.

③ 정답을 찾는 '여기서 잠깐' 필수 어휘·표현

상황별 어휘, 그래프 추세, 화자의 태도를 나타내는 필수 표현 등을 따로 모아 〈여기서 잠깐〉 코너로 구성하였습니다. 수험생들이 예문과 함께 문법과 표현을 익히어 정확하게 정답을 도출하는 요령을 익힐 수 있도록 하였습니다.

여기서 잠깐!

· 이어질 수 있는 말

문법과 표현	의미	예문
–지 그래요? –는 게 어때요? –자.	제안	• 피곤하면 좀 쉬지 그래요? • 내일 가는 게 어때요? • 점심 먹으러 가자.
–는 게 좋겠어요. –아/어야 해요.	조언	• 약을 먹는 게 좋겠어요. • 회의 전에 준비를 해야 해요.
–겠어요.	추측	• 오늘 정말 피곤하겠어요.
그럼 –을게요.	결정	• 그럼 내일로 예약할게요.
–(으)니까 괜찮아요. 너무 걱정하지 말아요.	위로	• 아직 시간이 있으니까 괜찮아요.
그러네요. –아/어서 다행이에요.	공감·감정 표현	• 감기가 나아서 다행이에요.

· 이어질 수 있는 행동

문법과 표현	의미	예문
–(으)ㄹ게요. –겠습니다. –아/어 놓을게요.	약속·의지	• 지금 바로 갈게요. • 보고서 바로 작성하겠습니다. • 회의 자료 출력해 놓을게요.
–아/어 주세요. –(으)시겠어요? –(으)세요.	요청·지시·허락	• 문 좀 열어 주세요. • 커피 드시겠어요? • 이쪽으로 오세요.
–(으)려고 하다. –기로 하다.	계획·준비	• 내일 회의 자료를 준비하려고 해요. • 오후에 가기로 했어요.
	확인·동의	• 알겠습니다. • 그렇게 하세요.

· 행동의 시간이나 시점, 순서를 알려 주는 표현

문법과 표현	의미
지금/바로/곧	즉시 실행, 행동의 빠른 시작
먼저/우선	순서 강조
이따가/나중에/다음에	잠시 후, 시간 지연
그 전까지/그때까지	마감 시점

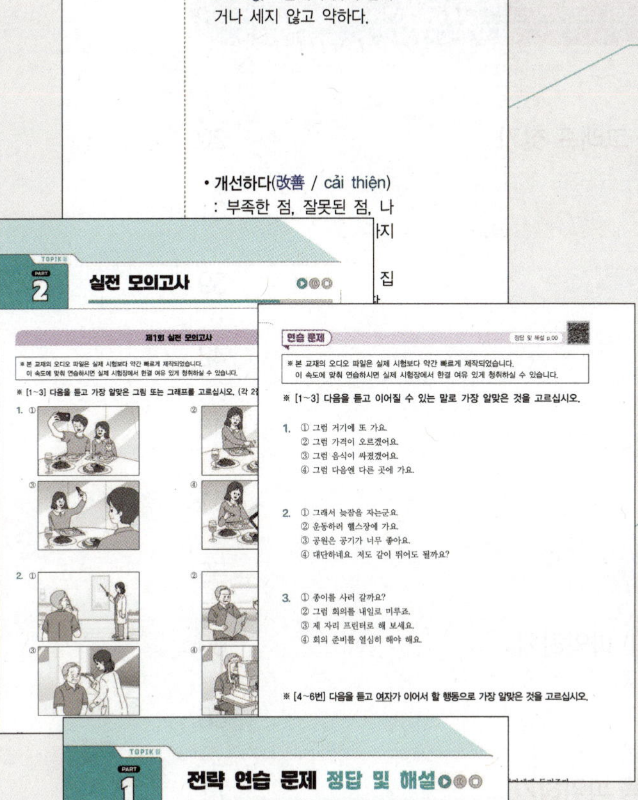

❹ 지문 핵심 어휘 풀이 및 다국어 번역

지문에 등장하는 핵심 어휘를 선별하여 풀이와 함께 날개에 표시하였습니다. 또한 중국어와 베트남어 번역을 함께 제시하여 학습자들이 어휘의 의미를 정확하게 이해하고 듣기 내용을 효과적으로 파악할 수 있도록 하였습니다.

❺ 실전 감각을 높이는 연습 문제와 모의고사

학습한 8가지 문제 해결 전략을 바탕으로 자신의 듣기 실력을 꼼꼼하게 점검할 수 있는 풍부한 〈연습 문제〉를 수록하였습니다. 나아가 실제 시험과 동일한 난이도와 유형으로 엄선한 〈실전 모의고사〉를 통해 시험장 실전 감각을 극대화할 수 있도록 구성하였습니다.

❻ 상세한 정답 및 해설

연습 문제와 모의고사를 혼자서도 충분히 학습할 수 있도록 듣기 지문(대본) 전체와 상세한 해설을 수록하였습니다. 정답이 도출되는 논리적 근거와 매력적인 오답을 걸러 내는 설명을 구체적으로 정리하여 완벽한 듣기 실력 향상을 돕도록 하였습니다.

차 례

PART 1 전략

PART 2 실전 모의고사

✚ 정답 및 해설

PART 1 전략 연습 문제 정답 및 해설

PART 2 실전 모의고사 정답 및 해설

전략

PART 1

전략

1 대화의 상황과 어울리는 그림과 그래프 찾기

이 유형은 그림을 고르는 문항 2개, 그래프를 고르는 문항 1개로 구성되어 있습니다.

1 대화의 상황과 어울리는 그림 찾기

1~2번은 남녀의 대화를 듣고 내용에 맞는 그림을 고르는 문제입니다. 듣기 전 선택지의 그림을 미리 살펴보고 무슨 이야기를 할지 짐작해 볼 것을 권장합니다. 그림을 통해 대화의 장소, 인물의 정체 그리고 인물 간의 관계를 미리 파악하면 정답을 더 쉽게 찾을 수 있습니다.

기출문제 2024년 96회 TOPIK Ⅱ 2번

※ 다음을 듣고 가장 알맞은 그림 또는 그래프를 고르십시오.

> 남자: 의자에 앉아 보니까 어때?
> 여자: 오, 잘 만들었다. 그런데 나한텐 좀 높은 거 같아.
> 남자: 그래? 그럼 이 부분을 조금 더 잘라야겠다.

①

②

③

④

정답 ②

해설

'앉아 보니까' 어떤지 물었고, '나한테' 높다고 하였으므로 여자가 직접 의자에 앉아 있는 ②가 정답입니다. ✔
①이 정답이 되려면 같이 청소하자는 이야기, 혹은 의자가 무겁다거나 가볍다는 문장이 나와야 합니다.
③이 정답이 되려면 책상을 잘라 보자는 문장이 나와야 합니다.
④이 정답이 되려면 가구를 만들기 위해 계획을 세우는 표현 혹은 그 계획을 그림으로 나타내자는 표현이 나와야 합니다.

기출 분석　상황 및 주제

- **일상생활 속 행동 이해**
  - 일상에서 자연스럽게 발생하는 행동과 상황을 제시합니다.
  - 기출 : 분실물 습득(60회), 다리가 아픈 친구 도와주기(60회), 화분 옮기기(83회),
    집에서 사과 먹기(91회)

- **여행ㆍ취미ㆍ여가 활동**
  - 비행기를 타고 여행을 가거나 실생활에서 자주 접하는 취미 활동을 이야기합니다.
  - 기출 : 공항에서 짐 부치기(63회), 등산하기(63회), 볼링 치는 법 설명(64회),
    전시장 입장(83회), 승마(66회), 의자 만들기(96회)

- **쇼핑ㆍ구매 및 물건 사용**
  - 물건을 구매하거나 사용하면서 나타나는 행동을 제시합니다.
  - 기출 : 넥타이 쇼핑(91회), 수박 시식(96회)

- **고장 처리 및 일정 변경**
  - 간단한 문제 해결이나 일정 조정 등 생활 속에서 발생하는 의사 결정 상황을 다룹니다.
  - 기출 : 노트북 고장(64회), 기타 수업 시간 변경 요청(66회)

여기서 잠깐!

장소	상황	표현
식당	주문하기, 남은 음식 포장하기, 계산하기	• 이거 두 개 주세요. • 포장해 주세요. • 계산은 어디에서 해요?
병원	진료받기, 접수하기, 처방하기	• 어디가 아프세요? • 머리가 아파요. • 처방해 드릴테니 약 드시고 이틀 뒤에 다시 병원에 오세요.
호텔	체크인, 체크아웃, 방 예약	• 방을 예약했어요. • 체크아웃은 몇 시예요?

놀이공원	입장권 구매, 놀이기구 타기, 공연 구경, 사진 부탁하기	• 입장권 두 장 주세요. • 줄이 길어요. • 사진 좀 찍어 주시겠어요?
미용실	머리 자르기, 파마하기, 염색하기, 기다리기	• 머리 좀 다듬어 주세요. • 짧게 잘라 주세요. • 염색하는 데 시간이 얼마나 걸려요?
박물관 미술관	전시물 보기, 그림 감상하기, 사진 촬영 금지 안내	• 그림이 정말 아름다워요. • 작가의 설명을 들어요. • 사진이나 동영상을 찍으면 안 됩니다.
우체국	소포 보내기, 등기 우편 보내기	• 무엇을 도와드릴까요? • 중국으로 소포를 보내려고 해요, • 박스를 구매할 수 있나요?
경찰서 분실물 센터	분실 신고, 도난 신고	• 지갑을 잃어버렸어요. • 언제 잃어버리셨어요? • 신고서 작성하세요. • 확인되면 연락드릴게요.
도서관	책 찾기, 빌리기, 반납하기	• 이 책 어디에 있어요? • 빌리고 싶어요. • 반납하려고 해요.
회사	회의 시간 확인, 상사에게 결과나 진행 상황 알리기	• 오늘 회의가 몇 시에 있어요? • 자료를 보내 드릴게요. • 잠깐만요, 지금 확인해 볼게요.
수리 센터	고장 신고하기, 수리 요청하기, 물건 찾아오기	• 에어컨이 고장 났어요. • 오늘 안에 고칠 수 있을까요? • 노트북을 찾으러 왔어요.
공항	짐 부치기, 출국 심사, 비행기 타기	• 여권 좀 보여 주세요. • 부칠 짐이 있으십니까? • 이쪽으로 올려 주세요. • 몇 번 게이트예요?
백화점 쇼핑 센터	매장 위치 묻기, 옷 입어 보기, 구두 신어 보기, 물건 고르기, 교환과 환불	• 이 옷 입어 봐도 될까요? • 신발 코너가 어디예요? • 교환이나 환불은 일주일 이내에 가능합니다.
바닷가	낚시하기, 산책하기, 준비 운동 하기, 수영하기, 배 타고 구경하기	• 산책할까요? • 물에 들어가기 전 준비 운동을 해요. • 바람이 시원해서 기분이 좋아요.
은행	통장 만들기, 송금하기, 카드 분실 신고, 재발급	• 계좌를 만들고 싶어요. • 외국인도 계좌를 만들 수 있어요? • 다른 은행으로 돈을 보내려고 해요. • 카드를 잃어버렸어요. • 재발급하려면 어떻게 해야 해요?
구청 주민 센터	주민 등록, 전입 신고, 서류 발급	• 번호표를 뽑고 기다리세요. • 전입 신고를 하러 왔어요. • 서류를 발급받고 싶어요. • 수수료가 얼마예요?

연습 문제

정답 및 해설 p.108

※ 본 교재의 오디오 파일은 실제 시험보다 약간 빠르게 제작되었습니다.
　이 속도에 맞춰 연습하시면 실제 시험장에서 한결 여유 있게 청취하실 수 있습니다.

※ [1~4] 다음을 듣고 가장 알맞은 그림을 고르십시오.

1.

①  

② 

③ 

④ 

2.

① 

② 

③ 

④ 

3.

4.

2 대화의 상황과 어울리는 그래프 찾기

3번은 여자나 남자 중 한 명이 설명하는 내용을 듣고 적절한 표나 그래프를 고르는 문제입니다. 그래프에 제시된 숫자와 항목을 미리 확인하여 핵심 정보를 빠르게 파악한 뒤 듣는 것이 좋습니다. 듣기 전 그래프의 제목과 비율, 추이를 확인합니다. 또한 핵심어를 표시하고, 이것을 중심으로 들으면 중요한 내용을 놓치지 않을 수 있습니다. 특히, 순서를 나타내는 '가장 많다/높다, 그다음, 마지막으로, 적다/낮다' 표현에 집중하세요.

기출문제 2024년 96회 TOPIK II 3번

※ 다음을 듣고 가장 알맞은 그림 또는 그래프를 고르십시오.

> 남자 : 채소, 달걀 등의 식품을 정기적으로 배달받는 서비스가 인기를 끌며 최근 4년간 이용자가 꾸준히 증가하고 있습니다. 이 서비스를 이용하는 이유로는 '신선하고 품질이 좋아서'가 가장 많았으며, '가격이 합리적이어서', '편리해서'가 그 뒤를 이었습니다.

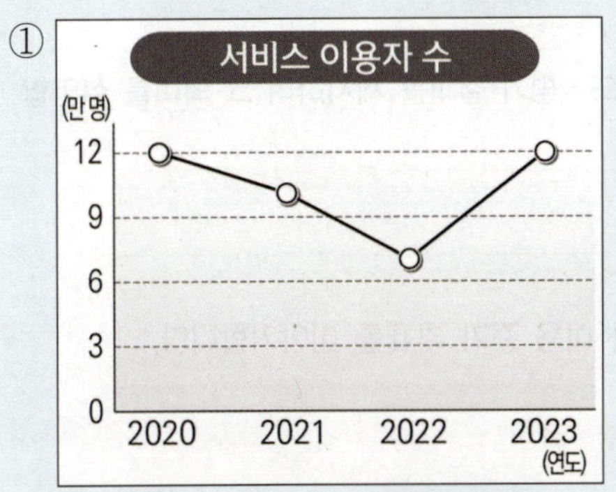

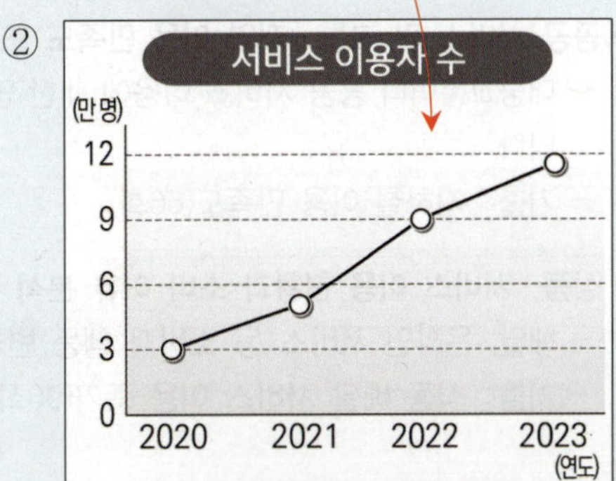

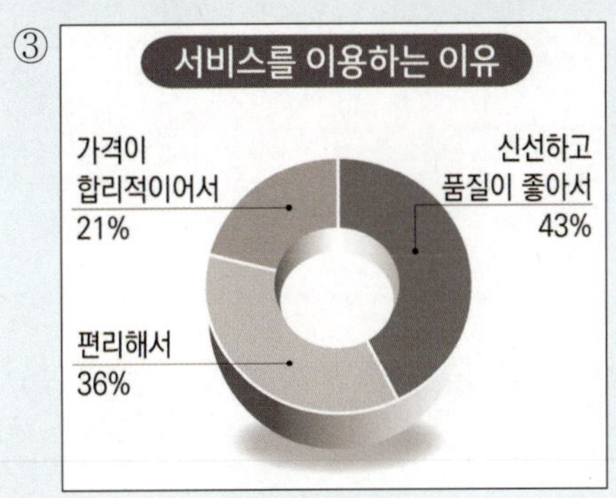

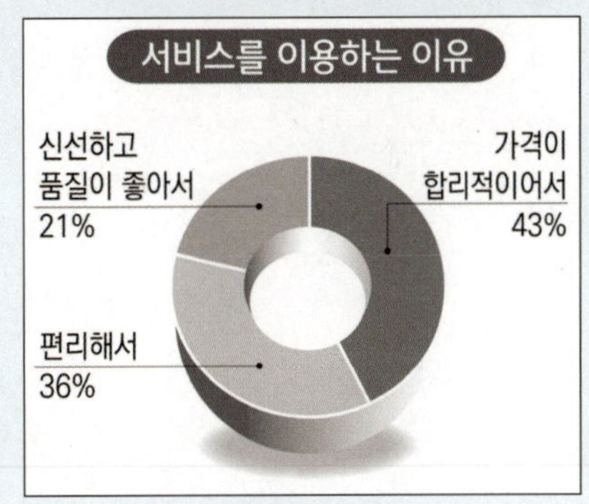

단어

• 배달(配送 / giao hàng) : 우편물이나 물건, 음식 등을 가져다줌.

정답 ②

해설

배달 서비스의 이용자가 꾸준히 증가하고 있다고 하였으므로 ②가 정답입니다.
①은 감소했다가 다시 증가했으므로 정답이 아닙니다.
③은 '편리해서'가 36%로 2위, '가격이 합리적이어서'가 21%로 3위이므로 들은 내용과 2위, 3위 순서가 달라 정답이 아닙니다.
④는 '가격이 합리적이어서'가 1위이지만 듣기 내용에서 1위는 '신선하고 품질이 좋아서'이므로 정답이 아닙니다.

기출 분석 상황 및 주제

- **사회 변화와 생활 방식에 대한 분석**
  - 사람들의 생활 방식, 여가 활용, 인구 이동, 소비 경향 등 사회 전반의 변화를 통계·조사 결과로 설명합니다.
  - 기출: 직장인의 점심시간·식사 후 활동(60회), 귀촌 인구 증가(63회),
    영화관 관람객 감소(64회), 성인 독서율 감소(91회),
    외국인 관광객의 한국 방문 목적(83회)

- **공공 서비스 및 교통·지역 이용 만족도 조사**
  - 대중교통이나 공공 서비스 이용에 대한 만족도·평가 결과를 제시하며 그 의미를 설명합니다.
  - 기출: 지하철 이용 만족도(66회)

- **상품·서비스 이용 현황과 소비 이유 분석**
  - 배달, 온라인 서비스 등 소비자 행동 변화와 이용 증가 추세를 이야기합니다.
  - 기출: 식품 배달 서비스 이용 증가(96회)

여기서 잠깐!

　문제를 풀기 전에 그래프를 보고 증가하는지/늘어나는지 혹은 감소하는지/줄어드는지, 오르내리는지를 파악하는 것이 좋습니다. 다음은 그래프를 설명할 때 자주 쓰이는 어휘와 표현입니다. 그래프의 추세에 대해 들을 때 핵심 단어를 메모하면서 들으세요.

그래프	어휘와 표현
① **꾸준히 증가하는 그래프** (백만 명) 400 / 300 / 200 / 100 / 0 2026 2027 2028 2029 (연도)	(꾸준히 / 계속해서) 증가하고 있다. (계속) 늘고 있다. 상승하는 추세이다. 많아지고 있다. 예 기차 이용객 수가 꾸준히 증가하고 있습니다.
② **계속 감소하는 그래프** (만 개) 800 / 700 / 600 / 500 / 400 / 0 2026 2027 2028 2029 (연도)	(계속해서) 감소하고 있다. (점점) 줄어들고 있다. 하락하는 추세이다. 적어지고 있다. 예 판매량이 매년 줄어들고 있습니다.
③ **증가했다가 감소하는 그래프** (천만 명) 25 / 20 / 15 / 10 / 5 / 0 2026 2027 2028 (연도)	증가했다가 감소하고 있다. 최고점을 기록한 후 내려가고 있다. 처음엔 늘었지만 나중엔 줄었다. 예 영화관 관객 수는 2027년에 가장 높았다가 2028년에 다시 감소했습니다.
④ **감소했다가 증가하는 그래프** (만 명) 25 / 20 / 15 / 10 / 5 / 0 2026 2027 2028 (연도)	감소했다가 다시 증가하고 있다. 최저였다가 올라가고 있다. 한때 줄었다가 회복하는 추세이다. 줄었다가 다시 늘었다. 예 게임을 하는 청소년 사용자는 2027년에 잠시 줄었다가 2028년에 다시 늘었습니다.

⑤ 두 대상을 비교하는 그래프

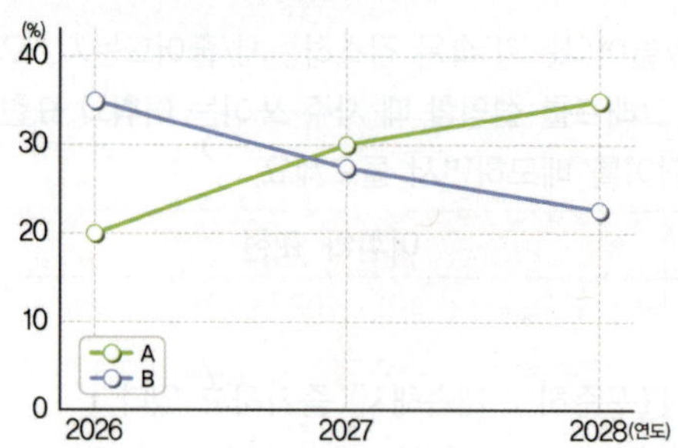

A는 증가했지만 B는 감소했다.
A는 늘어난 반면, B는 줄어들었다.
A의 비율은 높아졌지만, B는 낮아졌다.
예 여성의 참여율은 높아졌지만 남성의
참여율은 낮아졌습니다.

⑥ 비율을 나타내는 원형 그래프

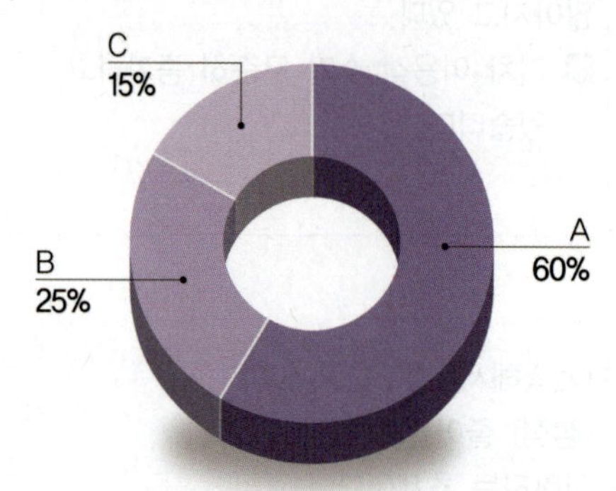

A가 1위, B가 2위로 나타났다.
A가 가장 높은 비율을 차지했다.
그다음으로는 B, C가 (각각) (그) 뒤를 이었다.
A, B, C의 순으로 나타났다.
예 '편리해서'가 1위, '가격이 저렴해서'가
2위로 나타났습니다.

⑦ 비교와 순위를 표현하는 막대그래프

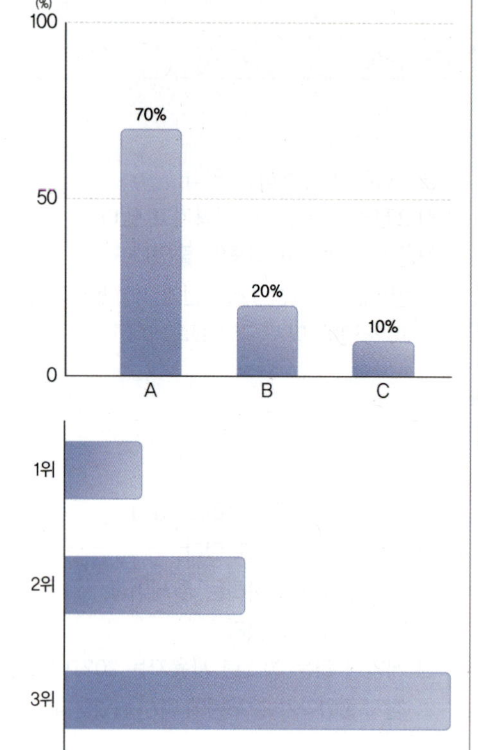

A가 가장 높았다.
A가 가장 높고, B, C가 그 뒤를 이었다.
B의 비율은 C보다 10% 높았다.
C가 가장 낮은 수치를 보였다.
예 '위치가 편리해서'가 가장 높았습니다.

연습 문제

정답 및 해설 p.110

※ 본 교재의 오디오 파일은 실제 시험보다 약간 빠르게 제작되었습니다.
　이 속도에 맞춰 연습하시면 실제 시험장에서 한결 여유 있게 청취하실 수 있습니다.

※ [1~4] 다음을 듣고 가장 알맞은 그래프를 고르십시오.

1.

① 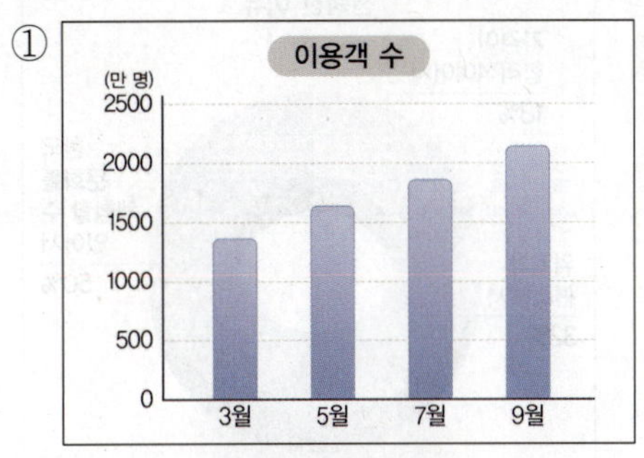

②

③ 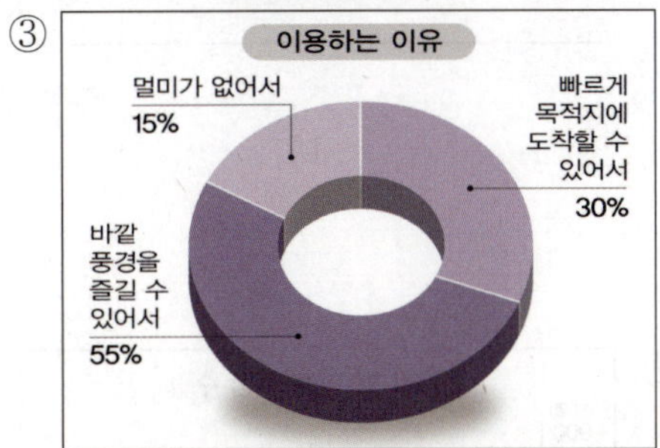

④ 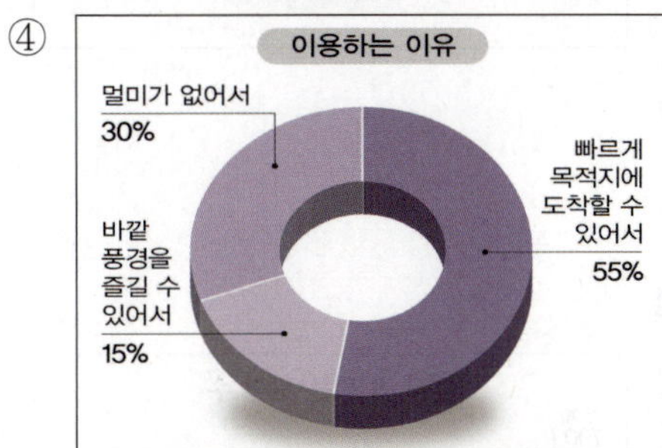

2.

① 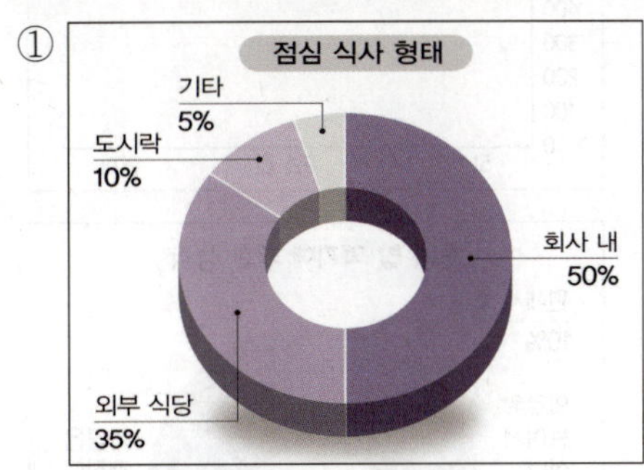

② 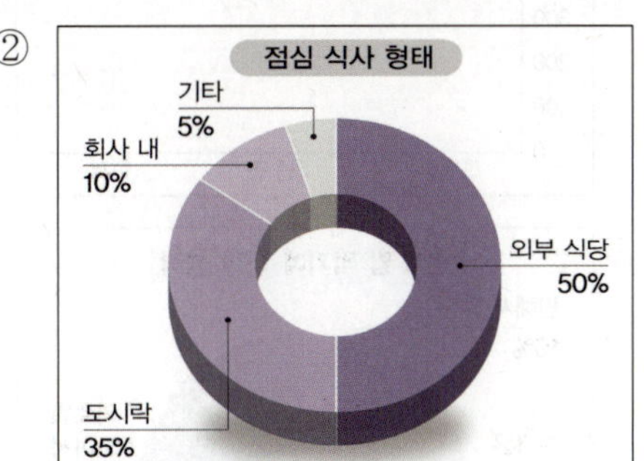

③ 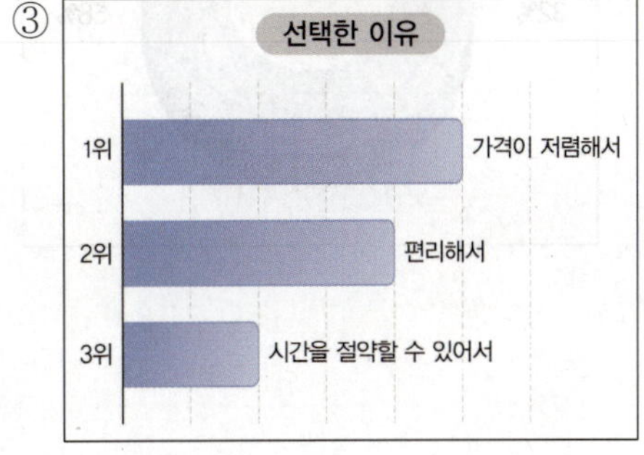

④ 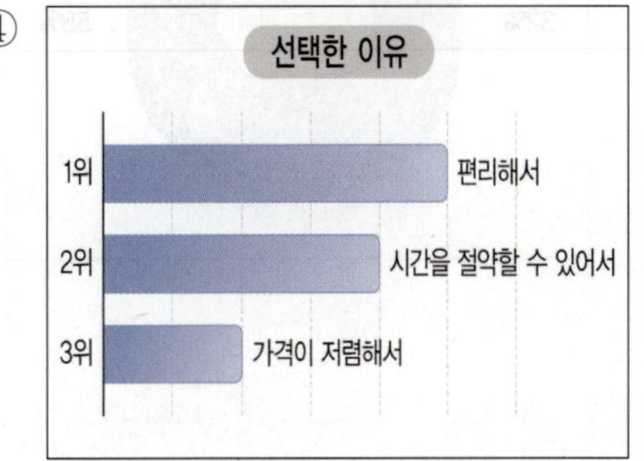

3.

① 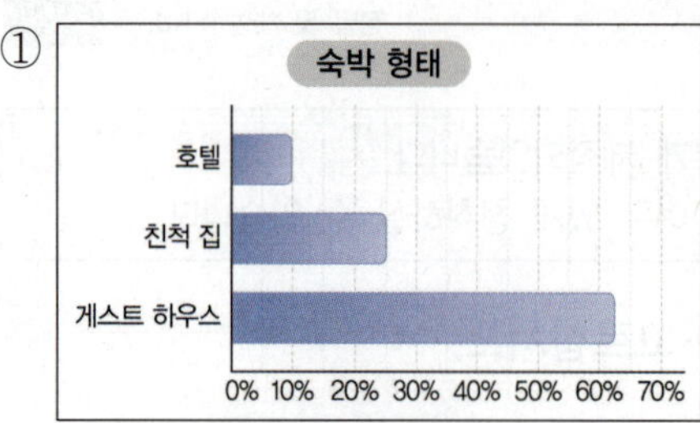

② 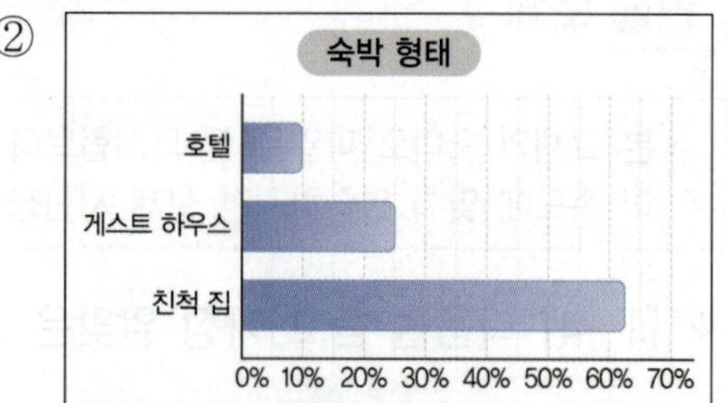

③ 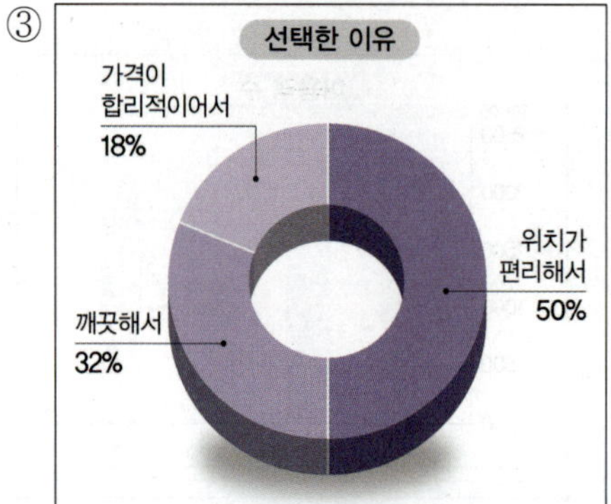

④ 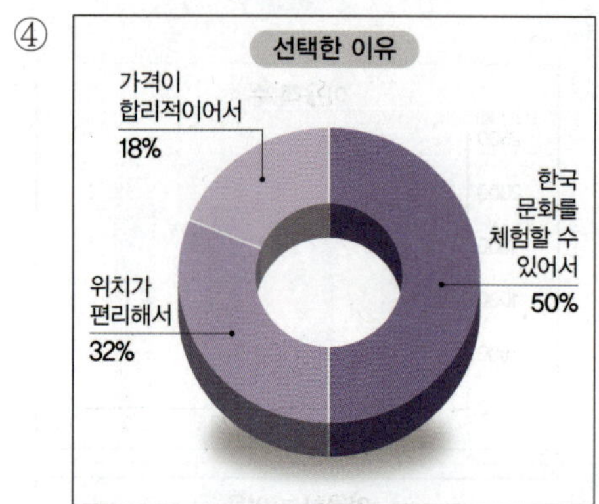

• **끼**(顿 / bữa) : 밥을 먹는 횟수를 세는 단위.

4.

① 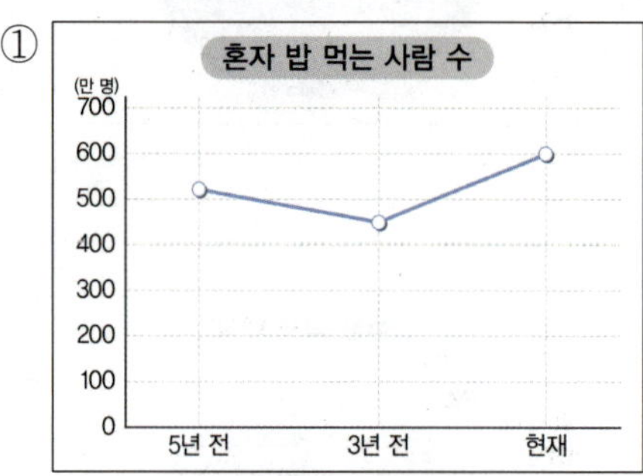

② 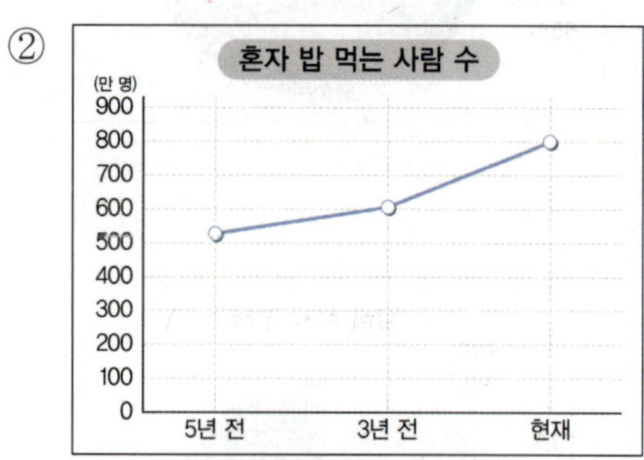

③ 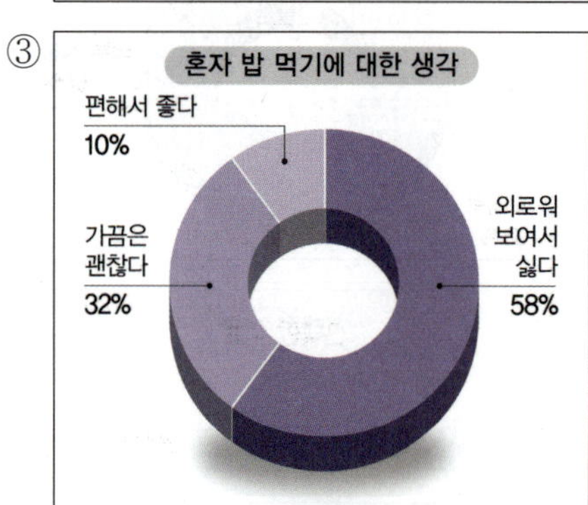

④ 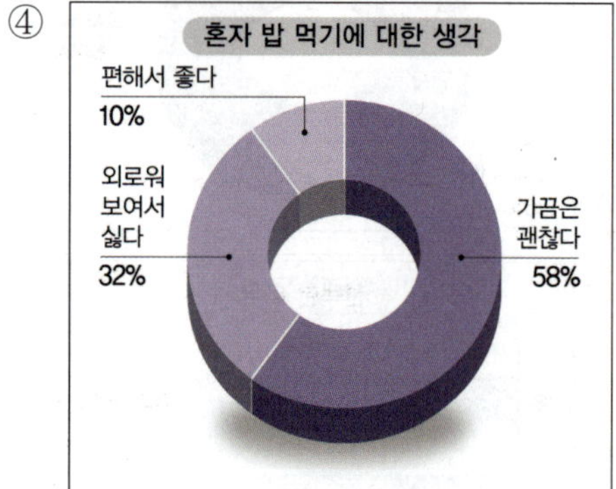

2 이어지는 말이나 행동 고르기

이 유형은 화자 간의 짧은 대화를 들은 후, 마지막에 이어질 수 있는 응답이나 행동을 고르는 문제로, 주로 일상생활에서 겪을 수 있는 상황이 출제됩니다. 화자의 의도나 감정 상태, 말의 맥락을 이해하여 그에 어울리는 적절한 반응을 선택할 수 있어야 합니다.

이어지는 말 고르기는 주로 TOPIK Ⅱ 듣기 시험의 [4~8번]에서 단일 문제로 출제되며, 짧은 일상 대화가 중심이 됩니다. 이 유형에서는 지문이 비교적 짧고, 대화의 목적이나 의도가 직접적으로 드러나는 경우가 많기 때문에 첫 문장을 듣고 상황을 파악하는 것이 중요합니다.

이어지는 행동 고르기는 [9~12번]에서 단일 문제로 출제되며, 대화를 듣고 인물의 다음 행동을 추론하는 문제입니다. 누구의 행동인지 먼저 파악하고, 해당 인물의 마지막 발화에 주목해야 합니다. 마지막 한두 문장에 인물의 의도·지시·약속·요청 등을 나타내는 표현이 보통 포함되므로, 이를 근거로 다음 행동을 추론할 수 있습니다.

기출문제

2024년 96회 TOPIK Ⅱ 4번

※ 다음을 듣고 이어질 수 있는 말로 가장 알맞은 것을 고르십시오.

① 그러다가 감기 걸릴 거예요.
② 이제 다 나아서 다행이에요.
③ 병원에 한번 가 보지 그래요?
④ 약을 안 먹어서 그런 거 아니에요?

정답 ③

해설

남자: 감기는 좀 어때요?
여자: 약국에서 약을 사다 먹었는데 **잘 안 나아요.**
남자: ＿＿＿＿＿＿＿＿＿＿＿

여자는 감기가 낫지 않았다고 말하고 있습니다. 이에 남자는 상황에 맞는 조언이나 제안을 해야 합니다. **대화의 마지막 문장**에 집중해 보세요.

① 그러다가 감기 걸릴 거예요.
　－ 감기가 잘 낫지 않는다는 상황에서 이 보기는 일치하지 않습니다.

② 이제 다 나아서 다행이에요.
　－ 병이 잘 낫지 않는다고 했으므로 내용이 일치하지 않습니다.

③ 병원에 한번 가 보지 그래요? 
　－ 이미 약을 먹었는데도 잘 낫지 않으니 병원에 가 보라는 제안이 가장 적절합니다.

④ 약을 안 먹어서 그런 거 아니에요?
　－ 약을 이미 사 먹었다고 했으므로 맥락이 일치하지 않습니다.

기출문제

2024년 96회 TOPIK II 5번

※ 다음을 듣고 이어질 수 있는 말로 가장 알맞은 것을 고르십시오.
① 그럼 일요일로 예약할게.
② 아직 약속을 하지 않았어.
③ 이미 도자기 수업을 시작했어.
④ 우선 오후 두 시에 만나기로 했어.

정답 ①

해설

여자 : 이번 주말에 도자기 체험 가기로 한 거, 언제 갈까?
남자 : 토요일은 약속이 있고 일요일은 괜찮아.
여자 : _______________________________

남자는 토요일에는 약속이 있고, 일요일은 괜찮다고 말했습니다. 즉, 가능한 날짜는 일요일입니다.

① 그럼 일요일로 예약할게.
　– 남자가 일요일에 시간이 괜찮다고 했으므로 일요일로 예약하겠다는 말이 자연스럽습니다.

② 아직 약속을 하지 않았어.
　– 화제가 일치하지 않습니다.

③ 이미 도자기 수업을 시작했어.
　– 일정 예약과 관련이 없는 대답입니다.

④ 우선 오후 두 시에 만나기로 했어.
　– 시간에 대한 언급이 없었습니다.

기출문제

2024년 96회 TOPIK II 6번

※ 다음을 듣고 이어질 수 있는 말로 가장 알맞은 것을 고르십시오.
① 아니야. 그건 내가 준비할게.
② 그러네. 얼른 마시고 들어가자.
③ 아니야. 전시장이 멀지는 않아.
④ 그러네. 먼저 음료수부터 사자.

정답 ②

해설

남자 : 저기 전시장이 있네. 한번 들어가 보자.
여자 : (놀라며) 어, 근데 음료수는 못 갖고 들어가나 봐.
남자 : _______________________________

여자가 입구에서 음료수 반입 금지의 규정을 확인했습니다. 그러므로 남자는 이를 받아들이고 그 말에 공감하는 방향으로 행동을 제안해야 자연스럽습니다.

① 아니야. 그건 내가 준비할게.
　– 음료수를 이미 가지고 있으므로 내용상 일치하지 않습니다.

② 그러네. 얼른 마시고 들어가자.
　– 음료수를 가지고 전시장에 들어갈 수 없으므로 마시고 들어가자는 대답이 가장 적절합니다.

③ 아니야. 전시장이 멀지는 않아.
　– 전시장 입구에서 하는 대화이므로 적절하지 않습니다.

④ 그러네. 먼저 음료수부터 사자.
　– 이미 음료수를 들고 있으므로 적절하지 않습니다.

기출문제

2024년 96회 TOPIK II 8번

※ 다음을 듣고 이어질 수 있는 말로 가장 알맞은 것을 고르십시오.

① 너무 짧게 줄인 것 같아요.
② 수선을 잘해 주셔서 감사해요.
③ 혹시 모양이 많이 이상해질까요?
④ 이 바지로 한 치수 큰 거 없어요?

단어

• **수선**(修理 / sự tu bổ) : 오래되거나 고장 난 것을 다시 쓸 수 있게 고침.

정답 ③

해설

여자 : 사장님, 이 바지 길이를 좀 줄여 주실
　　　수 있나요?
남자 : 이런 바지는 줄이면 아랫부분 모양이
　　　좀 달라지는데, 괜찮으세요?

여자 : ＿＿＿＿＿＿＿＿＿＿＿＿＿＿＿

수선 서비스 중 직원과 고객의 대화입니다. 마지막 발화 상황에 주목하면 직원이 수선에 대한 변화와 위험성을 알리고 있습니다. 따라서 고객은 해당 상황에 대한 확인이나 우려를 표현하는 질문을 하는 것이 자연스럽습니다.

① 너무 짧게 줄인 것 같아요.
　　－ 수선이 끝난 뒤 가능한 발화이므로 정답이 아닙니다.

② 수선을 잘해 주셔서 감사해요.
　　－ 수선이 끝난 뒤 가능한 감사 표현입니다.

③ 혹시 모양이 많이 이상해질까요?
　　－ 모양이 좀 달라진다는 위험성을 알렸으므로 우려를 표현하는 이 보기가 정답입니다.

④ 이 바지로 한 치수 큰 거 없어요?
　　－ 구매나 교환할 때 문의 사항이기에 화제상 일치하지 않습니다.

기출문제 2024년 96회 TOPIK II 9번

※ 다음을 듣고 여자가 이어서 할 행동으로 가장 알맞은 것을 고르십시오.

① 여행을 간다.
② 수업을 듣는다.
③ 가방을 꺼낸다.
④ 가방을 가지러 간다.

정답 ④

해설

여자 : 여보세요. 민수야, 나 내일 여행 가는데 가방 좀 빌려줄 수 있어?
남자 : 그래. 그런데 내가 수업이 있어서 곧 나가야 하는데 지금 올래?
여자 : 응. 지금 바로 가지러 갈게. 고마워.
남자 : 그럼 가방 꺼내 놓을게.

시간 단서를 찾는 것이 중요합니다. '지금 바로' 뒤에 이어지는 말은 '가지러 갈게'입니다. 따라서 여자의 이어질 행동은 가방을 가지러 가는 것입니다.
'누구'의 행동을 묻는지 확인하고, 해당 화자의 마지막 발화에 주목해야 합니다.

① 여행을 간다.
 ― 여행은 내일 가므로 이어질 행동이 아닙니다.

② 수업을 듣는다.
 ― 남자가 현재 하고 있는 행동입니다.

③ 가방을 꺼낸다.
 ― 남자가 앞으로 할 행동입니다.

④ 가방을 가지러 간다. 💡
 ― 가방을 바로 가지러 가겠다고 했으므로 정답입니다.

기출문제   2024년 96회 TOPIK II 10번

※ 다음을 듣고 **여자**가 이어서 할 행동으로 가장 알맞은 것을 고르십시오.
① 로션을 바른다.
② 계산을 해 준다.
③ 로션을 포장한다.
④ 아버지께 선물을 드린다.

정답 ②

해설

남자 : 저기요. 아버지께 로션을 하나 선물하려고 하는데 어떤 게 좋아요?
여자 : 이게 요즘 많이 팔리는 건데 한번 발라 보세요.
남자 : 음. 향기도 좋고 부드럽네요. 이걸로 하나 포장해 주세요.
여자 : 네. 계산 먼저 해 드릴 테니까 이쪽으로 오세요.

'여자'의 이어질 행동을 고르는 문제입니다. 행동의 순서를 나타내는 단어 '먼저'에 주목합니다.

① 로션을 바른다.
　─ 이미 발라 본 후이므로 상황이 일치하지 않습니다.

② 계산을 해 준다. 💡
　─ 계산 먼저 한다고 하였으므로 이어질 행동은 계산입니다.

③ 로션을 포장한다.
　─ 계산 후에 이어질 행동입니다.

④ 아버지께 선물을 드린다.
　─ 남자의 행위입니다.

기출문제   2024년 96회 TOPIK II 12번

※ 다음을 듣고 **여자**가 이어서 할 행동으로 가장 알맞은 것을 고르십시오.
① 회의에 참석한다.
② 보고서를 작성한다.
③ 설문 조사를 한다.
④ 보고서를 제출한다.

단어

- **소비자**(消費者 / người tiêu dùng) : 생산자가 만든 물건이나 서비스 등을 돈을 주고 사는 사람.
- **다양화**(多样化 / sự đa dạng hoá) : 색깔, 모양, 종류, 내용 등이 여러 가지로 많아짐. 또는 그렇게 만듦.

정답 ②

해설

여자 : 부장님, 신제품 소비자 설문 결과입니다. 확인 부탁드립니다.
남자 : 음. 제품 크기를 줄인 것에 대한 반응이 좋군요.
여자 : 네. 디자인을 다양화한 것도 좋았던 것 같습니다. 설문 결과를 가지고 바로 보고서 작성하겠습니다.
남자 : 그렇게 하세요. 금요일이 부서장 회의니까 그 전까지 주세요.

여자의 마지막 발화인 시간 단서 '바로'에 주목합니다. "바로 보고서 작성하겠습니다."의 행동 의지 표현에 남자가 "그렇게 하세요."라고 행동을 승인합니다. 따라서 여자의 이어질 행동은 보고서를 작성하는 것입니다.

① 회의에 참석한다.
　─ 회의는 금요일에 있으므로 남자가 나중에 할 행동입니다.

② 보고서를 작성한다. 💡

③ 설문 조사를 한다.
　─ 설문 조사는 이미 끝났습니다.

④ 보고서를 제출한다.
　─ 보고서를 작성한 후 가능한 행동입니다.

기출 분석 상황 및 주제

• **일상 대화**
  - 가족, 친구, 동료와의 자연스러운 대화가 가장 높은 빈도로 출제됩니다.
  - 기출: 물건 대여 및 반납(96회, 83회), 면접(96회, 91회), 가족 행사(91회), 날씨 정보(83회),
    음식 만들기(83회), 가방 찾기(66회), 여행 이야기(66회), 친구 만나기(66회),
    짐 정리(66회), 병원 진료 및 약 구입(64회, 63회), 방학 계획(60회)

• **직장 대화**
  - 실제 직장 업무 상황이 자주 출제됩니다.
  - 기출: 보고서 작성(96회, 63회), 업무 일정 확인(96회), 채용설명회 자료 준비(66회),
    자료 출력(63회, 60회), 문서 수정(63회), 설문 조사 및 상사 피드백(60회)

• **쇼핑 및 고객 서비스**
  - 마트, 백화점, 카페 등에서의 상품 선택, 가격 문의, 선물 포장, 카드 결제, 교환/반품,
    배달 신청 등 고객을 응대하는 대화가 등장합니다.
  - 기출: 상품 선택, 계산 및 포장 요청(96회, 83회, 63회, 60회), 호텔 식사 신청(66회),
    배달 신청(66회), 의류 수선(96회), 세탁 상담(91회), 차량 정비(91회), 주문 지연(83회),
    카드 신청(60회)

• **공공시설 이용 및 안내**
  - 공공 기관, 학교, 공연장, 공원, 주차장 등에서의 이용 규정 확인 및 안내가 제시됩니다.
  - 기출: 공공시설 입장 규정 확인(96회), 공연 관람(91회, 63회), 놀이공원 직원 안내 따르기
    (83회), 촬영 준비(83회), 학교 시설 사용 가능 여부 문의(64회)

• **기기 고장 관련 상황**
  - 가전제품 고장 문제와 해결 상황이 높은 빈도로 출제됩니다.
  - 기출: 노트북 고장(66회), 세탁기 고장(63회), 벽시계 건전지 교체(60회)

• **미디어 감상 및 취미 생활**
  - 드라마나 프로그램 감상평, 취미 활동 관련 대화가 출제됩니다.
  - 기출: 드라마 감상 및 평가(91회, 60회, 63회)

여기서 잠깐!

• 이어질 수 있는 말

문법과 표현	의미	예문
−지 그래요? −는 게 어때요? −자.	제안	• 피곤하면 좀 쉬지 그래요? • 내일 가는 게 어때요? • 점심 먹으러 가자.
−는 게 좋겠어요. −아/어야 해요.	조언	• 약을 먹는 게 좋겠어요. • 회의 전에 준비를 해야 해요.
−겠어요.	추측	• 오늘 정말 피곤하겠어요.
그럼 −을게요.	결정	• 그럼 내일로 예약할게요.
−(으)니까 괜찮아요. 너무 걱정하지 말아요.	위로	• 아직 시간이 있으니까 괜찮아요.
그러네요. −아/어서 다행이에요.	공감 · 감정 표현	• 감기가 나아서 다행이에요.

• 이어질 수 있는 행동

문법과 표현	의미	예문
−(으)ㄹ게요. −겠습니다. −아/어 놓을게요.	약속 · 의지	• 지금 바로 갈게요. • 보고서 바로 작성하겠습니다. • 회의 자료 출력해 놓을게요.
−아/어 주세요. −(으)시겠어요? −(으)세요.	요청 · 지시 · 허락	• 문 좀 열어 주세요. • 커피 드시겠어요? • 이쪽으로 오세요.
−(으)려고 하다. −기로 하다.	계획 · 준비	• 내일 회의 자료를 준비하려고 해요. • 오후에 가기로 했어요.
	확인 · 동의	• 알겠습니다. • 그렇게 하세요.

• 행동의 시간이나 시점, 순서를 알려 주는 표현

문법과 표현	의미
지금/바로/곧	즉시 실행, 행동의 빠른 시작
먼저/우선	순서 강조
이따가/나중에/다음에	잠시 후, 시간 지연
그 전까지/그때까지	마감 시점
잠깐/금방	짧은 시간 동안, 조금 뒤에 곧
미리	사전 준비, 행동의 선행
벌써/이미	행동 완료, 예정보다 빠름

연습 문제

정답 및 해설 p.112

※ 본 교재의 오디오 파일은 실제 시험보다 약간 빠르게 제작되었습니다.
　이 속도에 맞춰 연습하시면 실제 시험장에서 한결 여유 있게 청취하실 수 있습니다.

※ [1~3] 다음을 듣고 이어질 수 있는 말로 가장 알맞은 것을 고르십시오.

1. ① 그럼 거기에 또 가요.
② 그럼 가격이 오르겠어요.
③ 그럼 음식이 싸졌겠어요.
④ 그럼 다음엔 다른 곳에 가요.

2. ① 그래서 늦잠을 자는군요.
② 운동하러 헬스장에 가요.
③ 공원은 공기가 너무 좋아요.
④ 대단하네요. 저도 같이 뛰어도 될까요?

3. ① 종이를 사러 갈까요?
② 그럼 회의를 내일로 미루죠.
③ 제 자리 프린터로 해 보세요.
④ 회의 준비를 열심히 해야 해요.

※ [4~6번] 다음을 듣고 여자가 이어서 할 행동으로 가장 알맞은 것을 고르십시오.

4. ① 옷을 고른다.　② 계산을 한다.
③ 리본을 만든다.　④ 옷을 반품한다.

5. ① 노트를 가방에 넣고 집에 간다.　② 노트를 다시 여자에게 돌려준다.
③ 노트를 복사해서 친구에게 준다.　④ 노트를 도서관에 반납하러 간다.

6. ① 메일을 삭제한다.　② 보고서를 작성한다.
③ 보고서를 수정한다.　④ 회의 일정을 변경한다.

단어
- **매출**(销售 / việc bán hàng) : 물건을 파는 일.
- **보고서**(报告书 / bản báo cáo) : 연구하거나 조사한 것의 내용이나 결과를 알리는 문서나 글.
- **검토**(考虑 / xem xét) : 내용을 자세히 따져 봄.

3-1 세부 내용 이해하기

이 유형은 TOPIK Ⅱ 듣기 시험의 핵심 문제 중 하나로, 들려오는 대화나 담화의 구체적인 사실 정보를 정확하게 파악하는 능력을 측정합니다. 학습자는 제시된 지문을 듣고, 그 내용과 가장 일치하는 보기를 선택해야 합니다.

TOPIK Ⅱ 듣기 시험의 [13~16번]에서 단일 문제로 출제됩니다. 지문의 길이가 비교적 짧고, 직접 언급된 사실 정보를 정확히 확인하는 문항이 이 유형에 해당합니다.

기출문제

2024년 96회 TOPIK Ⅱ 14번

※ 다음을 듣고 들은 내용과 같은 것을 고르십시오.

① 마트는 올해 처음 문을 열었다.
② 일주일 동안 영업시간이 늘어난다.
③ 식품 코너는 할인 행사에서 제외된다.
④ 마트를 방문한 모든 사람들에게 선물을 준다.

단어

- **개업**(开业 / sự khai trương) : 영업을 처음 시작함.
- **주년**(周年 / năm thứ) : 일 년을 단위로 돌아오는 해를 세는 단위.
- **연장하다**(延长 / gia hạn) : 길이나 시간, 거리 등을 본래보다 길게 늘리다.

정답 ②

해설

여자 : (딩동댕) 저희 누리마트가 개업 10주년을 맞이하여 오늘부터 일주일 동안 식품 코너에서 특별 할인 행사를 진행합니다.
또 마트에서 5만 원 이상 구매하신 고객님들께 선물을 드립니다. 이 기간에는 영업시간도 한 시간 연장하니 많은 관심 부탁드립니다. (댕동딩)

① 마트는 올해 처음 문을 열었다.
　─ 마트가 문을 연 지 10년이 되었다고 했습니다.

② 일주일 동안 영업시간이 늘어난다.
　─ 일주일 동안 영업시간을 연장한다고 했습니다.

③ 식품 코너는 할인 행사에서 제외된다.
　─ 식품 코너에서 특별 할인 행사를 진행한다고 했습니다.

④ 마트를 방문한 모든 사람에게 선물을 준다.
　─ 5만 원 이상 구매하신 고객님들께 선물을 드린다고 했습니다.

기출 분석 상황 및 주제

- **일상 대화**
  - 친구, 동료, 부부 간의 약속, 계획, 취미, 물건 구매, 안부 등 지극히 평범한 일상생활 속 대화가 많습니다.
  - 기출(13번) : 봉사 활동(60회), 수강 신청(64회), 과거 회상(91회), 캠핑(96회)

- **안내 방송/공지**
  - 마트, 도서관, 박물관, 아파트, 대중교통 등 공공장소에서의 안내 방송이나 공지 형태의 담화가 자주 출제됩니다. 할인 행사, 이용 시간 변경, 유의 사항 등이 주된 내용입니다.
  - 기출(14번) : 아파트(60, 64회), 백화점(91회), 마트(96회)

- **뉴스/보도**
  - 짧은 기상 예보, 행사 소식, 간단한 사회 현상 등을 다루는 뉴스 또는 보도 내용이 나옵니다.
  - 기출(15번) : 태풍 안내(60회), 지하철 사고(64회), 낚싯배 사고(91회), 자전거 대회(96회)

- **인터뷰/설명**
  - 특정인의 직업이나 전문 분야에 대한 간단한 인터뷰, 사물이나 현상에 대한 짧은 설명 등이 나옵니다.
  - 기출(16번) : 불꽃 연출가(60회), 나무 치료사(64회), 동물 보건사(91회), 화재 분석가(96회)

기출 분석 TIPS

- **핵심 정보 파악하기**
  - '누가, 언제, 어디서, 무엇을, 어떻게, 왜'와 같은 육하원칙에 해당하는 정보와, '얼마나'와 같은 수량이나 정도 정보를 놓치지 않고 들어야 합니다.

- **세부적인 사실 확인하기**
  - 숫자, 날짜, 요일, 시간, 장소, 사물의 상태 변화, 구체적인 행동이나 결과 등 지문에 명확히 언급된 세부 사항들을 정확하게 인지해야 합니다.

- **주어와 서술어 일치 파악하기**
  - 행위의 주체(누가)나 결과(무엇을 했다/하지 않았다)를 바꾸어 제시하는 경우가 많으므로, 정확한 주어와 서술어의 관계를 파악하는 것이 중요합니다.

- **긍정/부정 표현 확인하기**
  - '있다/없다', '된다/안 된다', '하다/하지 않다' 등 긍정문과 부정문을 바꾸어 혼란을 주는 경우가 많습니다. 특히 부정형 표현에 주의해야 합니다.

- **부분적 일치 유의하기**
  - 보기가 지문의 일부분만 일치하거나, 단어 하나를 바꿔 전체 의미를 다르게 만드는 함정이 많습니다. 전체 내용을 정확히 이해하고 보기를 자세히 대조해야 합니다.

- **과도하게 추론하지 않기**
  - 지문에 명시적으로 언급되지 않은 내용을 추측하여 정답으로 선택하지 않도록 주의해야 합니다. 들은 정보 안에서 확인할 수 있는 사실만을 근거로 판단하는 것이 중요합니다.

연습 문제

정답 및 해설 p.115

※ 본 교재의 오디오 파일은 실제 시험보다 약간 빠르게 제작되었습니다.
이 속도에 맞춰 연습하시면 실제 시험장에서 한결 여유 있게 청취하실 수 있습니다.

※ [1~4] 다음을 듣고 들은 내용과 같은 것을 고르십시오.

1.
① 남자는 지난주에 주말에 어머니 댁에 다녀왔다.
② 여자는 허리가 불편해서 방석을 구매하려고 한다.
③ 두 사람은 부부 사이로 어머니께 드릴 선물을 고르고 있다.
④ 남자는 이번 주말에 어머니를 만나러 가는 것을 좋아하지 않는다.

2.
① 일부 카페에서는 일회용품을 사용할 수 있다.
② 카페에서는 앞으로 일회용 컵을 무료로 제공한다.
③ 오늘부터 매장 안에서는 일회용품 사용이 금지된다.
④ 일회용 컵을 반납하면 보증금을 다시 받을 수 있다.

3.
① 여자는 옛날 지도와 현대 지도를 연구하고 있다.
② 남자는 옛날 지도보다 현대 지도가 더 흥미롭다고 생각한다.
③ 과거 지도에는 바다의 괴물들이 실제로 살았다고 기록되어 있다.
④ 여자는 옛날 지도를 통해 그 시대의 문화를 알 수 있다고 생각한다.

4.
① 소독은 다음 주에 진행될 예정이다.
② 소독 중에도 놀이터 이용이 가능하다.
③ 소독은 이번 주 수요일 오전부터 오후까지 진행된다.
④ 쾌적한 환경을 위해 소독 중에는 창문을 열고 환기해야 한다.

단어

• **어머님 댁**(婆婆家 / nhà mẹ chồng) : 남편 어머니의 집을 높여 부르는 말.
• **주문해 놓다**(订好 / đặt hàng trước) : 물건을 시킨 후에 준비되도록 하다.

• **일회용품**(一次性用品 / đồ dùng một lần) : 한 번만 쓰고 버리도록 만들어진 물건.
• **보증금**(保证金 / tiền đặt cọc) : 계약 등을 할 때 담보로써 주는 돈. (돌려받을 수 있어요.)
• **반납하다**(归还 / trả lại) : 빌린 것이나 받은 것을 도로 돌려주다.

• **연구하다**(研究 / nghiên cứu) : 자세히 조사하고 분석하다.
• **엿보다**(粗略知晓 / đoán biết) : 추측을 통해 알다.

• **조성**(建设 / tạo thành) : 무엇을 만들어서 이룸.
• **해당 시간**(对应时间 / thời gian tương ứng) : 정해진 바로 그 시간.
• **불가하다**(不准 / không thể) : 가능하지 않다.
• **협조**(协助 / phối hợp) : 힘을 보태어 도움.

3-2 세부 내용 이해하기

　이 유형은 들려오는 대화나 담화의 구체적인 사실 정보를 정확하게 파악하는 문제입니다. <3-1> 전략과 유사하지만, 더 복잡한 이해가 필요합니다. 단순히 정보를 확인하는 것을 넘어 종합적인 듣기 능력을 평가하며, 학습자는 지문을 듣고 내용과 가장 일치하는 보기를 선택해야 합니다.

　TOPIK Ⅱ 듣기 시험 [21~30번] 중 22, 24, 26, 28, 30번에서, [33~50번] 중 34, 36, 38, 40, 42, 44, 45, 47, 49번에서 나옵니다. 하나의 지문에 두 개의 문제가 나오는 묶음형 문제로 출제되며, <3-1> 전략을 사용해서 풀어야 하는 문제보다 지문의 길이가 길고 정보량도 훨씬 많습니다. 주로 뉴스 보도, 강연, 인터뷰 등에서 정책·사회 문제·전문 지식·학술적 개념 등을 설명하거나 분석하는 내용이 제시되는 경우가 많습니다.

　<3-1> 전략이 직접적인 사실 정보를 짧게 확인하는 데 중점을 둔다면, <3-2> 전략은 그보다 훨씬 길고 복잡한 지문 속에서 다른 표현으로 제시되거나 여러 정보를 종합해야 하는 심화 내용을 다룹니다. 따라서 단순한 정보 확인을 넘어 지문 전체의 흐름과 맥락을 파악하고, 정보를 종합하며, 화자의 의도까지 깊이 이해하는 고차원적인 듣기 능력이 필요합니다.

기출문제

2024년 96회 TOPIK II 26번

※ 들은 내용과 같은 것을 고르십시오.

① 이 경찰서가 있는 지역은 사건이 자주 발생한다.
② 이 경찰서에는 경험이 많은 경찰들이 대부분이다.
③ 이 경찰서는 다른 곳에 비해 범인 검거율이 낮다.
④ 이 경찰서에서 실시한 훈련은 효과를 보지 못했다.

단어

- **범인 검거율**(犯人逮捕率 / Tỷ lệ bắt giữ tội phạm) : 범인을 잡아서 가두는 비율.
- **현장 대응력**(现场应对能力 / Năng lực ứng phó tại hiện trường) : 사건 현장에서 어떤 일이나 상황에 알맞게 행동하는 능력.
- **번화하다**(繁华 / Sầm uất) : 사업 활동이 활발하고 화려하다.
- **모의 상황**(模拟情况 / Tình huống mô phỏng) : 실제와 똑같이 따라 만든 상황.

정답 ①

해설

여자 : 서장님, 인주경찰서가 작년에 이어 올해도 전국에서 범인 검거율이 가장 높은 곳으로 선정되었던데 어떻게 이런 성과를 낼 수 있었나요?

남자 : 무엇보다 현장 대응력을 높이기 위한 훈련 덕분이라고 생각합니다. 이 지역은 번화한 곳이라서 사건, 사고가 많지요. 그래서 다른 곳에 비해 인력도 많은데 대부분 젊은 경찰관들입니다. 젊은 경찰관들은 아무래도 현장 경험이 부족하기 때문에 다양한 모의 상황을 만들어 현장 대응력을 강화하는 훈련을 반복해서 했습니다. 그렇게 하니까 실제 상황에서도 효과가 있었던 것 같습니다.

① 이 경찰서가 있는 지역은 사건이 자주 발생한다. ✅
　─ 번화한 곳이라 사건 사고가 많습니다.

② 이 경찰서에는 경험이 많은 경찰들이 대부분이다.
　─ 젊은 경찰관들이 대부분이어서 현장 경험이 부족합니다.

③ 이 경찰서는 다른 곳에 비해 범인 검거율이 낮다.
　─ 작년에 이어 올해도 범인 검거율이 가장 높습니다.

④ 이 경찰서에서 실시한 훈련은 효과를 보지 못했다.
　─ 실제 상황에서도 효과가 있었습니다.

기출 분석 상황 및 주제

- **사회 현상 및 정책**
  - 새롭게 바뀌는 법이나 제도, 사회 문제와 그 해결책, 특정 현상에 대한 통계나 분석을 설명합니다.
  - 기출: 정장 대여 서비스, 곡 사용료, 인구 문제, 장기 기증(60회), 소방복 재활용, 육아 휴직, 문화재 국외 유출, 국가지점번호 제도(64회), 신제품 품귀 현상, 소상공인 지원책(91회), 경찰서 성과, 보육원 퇴소, 사외 이사 제도(96회)

- **전문가 인터뷰 및 강연**
  - 특정 분야의 전문가가 자신의 연구 결과, 새로운 발견, 특정 주제에 대한 깊이 있는 지식이나 분석을 전달합니다.
  - 기출: 공간 디자이너, 야외 공연장 관리, 조선 시대 수라상, 보석 호박(60회), 감칠맛, 색소폰, 일성록(64회), 해바라기 축제, 제조업의 영역 확장, 맹장 충수, 도덕성 판단(91회), 돈덕전(96회)

- **과학 기술 및 환경 문제**
  - 새로운 과학 기술의 원리나 영향, 환경 오염 문제와 해결 노력, 기후 변화 등 자연 현상과 관련된 내용을 다룹니다.
  - 기출: 오랑우탄과 사포닌(60회), 상어(64회), 인공위성(91회), 해양 연구, 염전, 가마솥, 로켓 발사 시각(96회)

- **논쟁적 주제 토론**
  - 특정 사회 현상이나 문제에 대해 찬성과 반대 의견을 주고받으며 자신의 주장을 펼치는 대화입니다.
  - 기출: 빈 교실 활용, 단합 대회(60회), 대학 축제(96회)

기출 분석 TIPS

- **다양한 정보 속 핵심 내용 찾기**
  - 지문이 길고 정보가 많으므로, 핵심 주제와 관련된 중요한 내용을 놓치지 않고 메모하는 연습이 중요합니다.

- **화자의 관점 및 의도 파악하기**
  - 단순히 내용뿐만 아니라 화자가 어떤 의견인지, 왜 그렇게 말하는지를 이해해야 합니다.

- **숫자, 기간, 주체 등 세부 정보 확인하기**
  - 정책 관련 지문처럼 '언제부터', '얼마나', '누가'와 같은 구체적인 정보가 정확하게 보기에 나와 있는지 확인해야 합니다.

- **정보의 변형 확인하기**
  - 보기가 지문의 내용을 그대로 옮긴 것이 아니라, 같은 의미지만 다른 말로 바꾸어 표현된 경우가 많습니다. 따라서 지문에 나온 특정 키워드만 보고 판단하면 오답을 고르기 쉬우므로 문장 전체의 의미를 이해하며 비교하는 것이 중요합니다.

- **문제점과 해결 방안, 원인과 결과 파악하기**
  - 특정 문제에 대한 설명이 있다면, 그 문제의 원인이 무엇인지, 어떤 해결 방안이 제시되었는지를 파악하는 데 집중해야 합니다.

연습 문제

정답 및 해설 p.117

※ 본 교재의 오디오 파일은 실제 시험보다 약간 빠르게 제작되었습니다.
　이 속도에 맞춰 연습하시면 실제 시험장에서 한결 여유 있게 청취하실 수 있습니다.

※ [1~4번] 다음을 듣고 물음에 답하십시오.

1. 들은 내용과 같은 것을 고르십시오.

① 규칙적인 운동과 수면은 기억력에 도움이 되지 않는다.
② 디지털 시대에는 사람들의 기억력이 점점 좋아지고 있다.
③ 박사는 현대인의 기억력 저하가 정보 과잉 때문이라고 말한다.
④ 새로운 정보는 기존 지식과 연결하기보다 분리해서 정리해야 한다.

2. 들은 내용과 같은 것을 고르십시오.

① 방문객들은 작가와 소통할 기회가 없다.
② 남자는 작년에 서울 국제 도서전에 가지 못했다.
③ 독립 출판사의 올해 참가율은 작년보다 낮아졌다.
④ 어린이가 책을 접하도록 돕기 위해 특별한 공간이 운영되고 있다.

3. 들은 내용과 같은 것을 고르십시오.

① LED 전등은 열이 많이 나서 위험하다.
② LED 전등은 수명이 길어서 오래 사용할 수 있다.
③ LED 전등은 빛을 만드는 방법이 일반 전구와 같다고 알려져 있다.
④ LED 전등은 일반 전구보다 전기를 많이 사용해서 전기 요금 부담이 크다.

4. 들은 내용과 같은 것을 고르십시오.

① 남자는 차 없는 거리 확대에 찬성하고 있다.
② 남자는 시민들의 안전한 여가 활동을 가장 중요하게 생각한다.
③ 여자는 차 없는 거리가 상권 활성화에 도움이 될 것으로 생각한다.
④ 두 사람은 도심 내 차 없는 거리에 대해 같은 의견을 가지고 있다.

단어

• **기억력**(记忆力 / khả năng ghi nhớ): 이전의 모습, 사실, 지식, 경험 등을 생각해 내는 능력.
• **노출되다**(暴露 / bị lộ): 감추어져 있는 것이 남이 보거나 알 수 있도록 겉으로 드러나다.
• **강화하다**(强化 / tăng cường): 힘을 더 강하게 하거나 수준이나 정도를 높이다.
• **향상**(提高 / sự nâng cao): 실력, 수준, 기술 등이 더 나아짐.

• **도서전**(书展 / hội chợ sách): 여러 책을 한자리에 모아 사람들에게 보여 주고 파는 행사.
• **독립 출판사**(独立出版商 / nhà xuất bản độc lập): 독자적으로 존재하며 책을 만들어 세상에 내놓는 일을 하는 회사.
• **가족 단위 방문객**(家庭访客 / khách tham quan gia đình): 어머니, 아버지, 아이들처럼 온 가족이 함께 무엇을 보기 위해 어떤 장소에 찾아오는 손님.

• **장점**(优点 / ưu điểm): 좋거나 잘하거나 바람직한 점.
• **전기 요금**(电费 / hóa đơn tiền điện): 전기를 사용한 값으로 내는 돈.
• **수명**(使用期 / tuổi thọ): 물건이나 시설 등이 쓰일 수 있는 기간.

• **도심**(市中心 / trung tâm đô thị): 도시의 중심.
• **상인**(商人 / thương nhân): 장사를 하는 사람.
• **보행자**(行人 / người đi bộ): 길거리를 걸어 다니는 사람
• **상권**(商业区 / khu thương mại): 상업 활동이 이루어지거나 영향을 미치는 지역적 범위.

4-1 중심 생각 파악하기

이 유형은 대화, 인터뷰, 전문가 인터뷰 등을 듣고 말하는 사람의 중심 생각을 찾는 유형입니다. 한 지문을 듣고 문제 한 개만 풀며, 유형은 다음과 같습니다.

---

17 · 18번(대화) : 총 3회 발화이며 남녀가 번갈아서 이야기합니다.

19번(대화) : 4회 발화로 이루어진 대화이며 남녀가 번갈아 이야기합니다.

20번(인터뷰) : 말 차례를 남녀가 한 번씩 주고받으며, 답변자의 말이 5~6문장으로 이어집니다.

한 지문을 듣고 문제 두 개를 푸는 묶음형 문제는 [21~22번], [25~26번], [31~32번], [37~38번]이며 이 중에서 21번, 25번, 31번, 37번이 중심 내용 파악 문제입니다.

21번(대화) : 남녀가 번갈아 말하며 총 4회 발화로 이루어지고, 각 발화는 약 2문장입니다.

25번(인터뷰) : 질문에 대한 답변이 5~6문장 정도로 비교적 길게 이어집니다.

31번(토론) : 남녀가 번갈아 한두 문장씩 짧게 발화하며 대화를 이어갑니다.

37번(전문가 인터뷰) : 남자–여자 또는 여자–남자 순으로 이루어지며, 대답하는 사람의 발화가
5~6문장 정도로 길게 이어집니다.

기출문제

2024년 96회 TOPIK Ⅱ 17번

※ 다음을 듣고 <u>남자의</u> 중심 생각으로 가장 알맞은 것을 고르십시오.

① 영화를 혼자 보러 가고 싶다.
② 다양한 종류의 팝콘을 먹고 싶다.
③ 영화관에서 팝콘을 먹는 것이 좋다.
④ 집에서 영화 보는 것을 더 좋아한다.

정답 ③

해설

남자 : 영화 보기 전에 팝콘 사야겠다. 수미
너도 먹을 거지?

여자 : 아니. 난 아까 저녁을 많이 먹어서 배
가 부르거든.

남자 : 그래? 난 먹을래. 팝콘이 있어야 영화
관에 온 것 같지.

① 영화를 혼자 보러 가고 싶다.
— 이런 이야기는 지문에 없습니다.

② 다양한 종류의 팝콘을 먹고 싶다.
— 여러 가지 팝콘을 먹겠다는 이야기는 없습니다.

③ 영화관에서 팝콘을 먹는 것이 좋다. 💡
— 마지막에 '팝콘이 있어야 영화관에 온 것 같지' 문장을 통
해 영화관에 가면 팝콘을 먹는다는 것을 알 수 있습니다.

④ 집에서 영화 보는 것을 더 좋아한다.
— 집에서 영화 보기, 영화관에서 영화 보기를 비교하는 내용
이 아닙니다.

기출문제   2024년 96회 TOPIK Ⅱ 25번

※ <u>남자</u>의 중심 생각으로 가장 알맞은 것을 고르십시오.

① 실제 상황을 가정한 반복 훈련이 중요하다.
② 사고가 많은 지역에는 인력이 충분해야 한다.
③ 훈련은 자유로운 분위기에서 실시되어야 한다.
④ 사건이 발생할 때 팀원 간의 협력이 필요하다.

단어

• 선정되다(被选定 / được tuyển chọn) : 여럿 가운데에서 목적에 맞는 것이 골라져 정해지다.

정답 ①

해설

여자 : 서장님, 인주경찰서가 작년에 이어 올해도 전국에서 범인 검거율이 가장 높은 곳으로 선정되었던데 어떻게 이런 성과를 낼 수 있었나요?

남자 : 무엇보다 현장 대응력을 높이기 위한 훈련 덕분이라고 생각합니다. 이 지역은 번화한 곳이라서 사건, 사고가 많지요. 그래서 다른 곳에 비해 인력도 많은데 대부분 젊은 경찰관들입니다. 젊은 경찰관들은 아무래도 현장 경험이 부족하기 때문에 다양한 모의 상황을 만들어 현장 대응력을 강화하는 훈련을 반복해서 했습니다. 그렇게 하니까 실제 상황에서도 효과가 있었던 것 같습니다.

① 실제 상황을 가정한 반복 훈련이 중요하다.
 ─ 마지막에 실제와 똑같이 하는 모의 상황을 만들어 반복 훈련을 함으로써 실제 현장에서 효과가 있었다고 했습니다. 즉, 반복 훈련의 중요성을 강조하고 있으므로 ①이 정답입니다.

② 사고가 많은 지역에는 인력이 충분해야 한다.
 ─ 인력이 많다는 내용은 있지만, 중심 생각은 아닙니다. 핵심은 인력보다 훈련의 효과에 있습니다.

③ 훈련은 자유로운 분위기에서 실시되어야 한다.
 ─ 지문에 자유로운 분위기나 환경에 대한 언급은 없습니다. 훈련의 방식인 모의 상황 반복이 중심이지, 분위기와는 관련이 없습니다.

④ 사건이 발생할 때 팀원 간의 협력이 필요하다.
 ─ 협력에 대한 언급은 없습니다.

기출 분석   상황 및 주제

- **일상생활의 문제와 개선**
  - 일상생활 속 실용적 정보, 생활 속 불편, 새로운 서비스 도입에 대해 이야기합니다.
  - 기출: 키우기 편한 식물 추천(60회), 독서 모임 지원 사업(66회),
    온라인 서점 이용(60회)

- **사회적 문제나 회사의 정책**
  - 반대 의견과 찬성 의견이 나오는 대립 구조로 사회적 문제나 회사 내 안건에 대해 이야기합니다.
  - 기출: 생계형 범죄 처벌(60회), 생활 폐기물 처리 시설 건립(91회),
    게임 회사에서 게임 캐릭터 디자인 변경(96회)

- **전문가의 분석이나 정보 전달**
  - 기술, 건강, 예술 분야의 원리·특징·장점을 설명합니다.
  - 기출: 수면 무호흡증(66회), 특수 목조 건축 재료(60회)

- **문화 행사·체험 활동 소개**
  - 축제, 체험 활동, 전시, 취미 생활을 소재로 이야기합니다.
  - 기출: 인주 진흙 축제(63회), 요가 학원과 요가 영상(64회), 해바라기 축제(91회)

- **사람들의 경험·습관·선호**
  - 사적 경험, 인간관계, 가족 활동, 학교생활 등 일상적 내용이 나옵니다.
  - 기출: 여행 스타일(91회), 새벽 공부(83회), 피곤할 때 외식 선택(91회)

기출 분석   TIPS

- **일치하는 내용과 중심 생각을 구분하기**
  - 대화 속에 나온 문장을 그대로 옮긴 보기가 정답이 되는 경우는 거의 없습니다. 화자의 생각은 왜 그렇게 말했는가, 무엇을 강조했는가에 숨어 있습니다. 이 사람이 정말 말하고 싶은 게 무엇인지 생각해 보세요.

- **하지 않은 말을 고르는 함정을 피하기**
  - 일부 보기는 대화와 비슷하지만, 실제로는 등장하지 않은 내용입니다. 반드시 화자의 발언 속 정보만으로 판단하세요. 하지 않은 말 옆에는 과감하게 X 표시를 해 보세요.

- **결론 문장을 놓치지 말기**
  - 마지막 문장이 화자의 진심을 드러내는 경우가 많습니다. 마지막 문장과 반복하거나 강조한 말은 중심 생각과 연결되므로 메모하며 들어 보세요. 특히 '생각한다, 중요하다, 필요하다, 해야 한다'가 나오면 중심 생각을 보여 주는 신호입니다. '결국, 그래서, 무엇보다'는 화자의 결론을 나타내는 표현이므로 주목하세요.

- **화자의 성별 헷갈리지 말기**
  - 대화에서 남자와 여자의 의견이 전혀 다른 경우도 있고, 일부만 차이가 나는 경우도 있습니다. 둘 중 누구의 생각을 묻는 문제인지 확인한 후 들으세요.

여기서 잠깐!

문법과 표현	의미	예문
-게 중요하다. -는 게 좋다.	의견 제시	• 실제 상황을 가정해서 훈련하는 게 중요합니다.
-아/어야 한다. -는 게 필요하다.	필요성 강조	• 직접 해 봐야 합니다.
결국/따라서/그래서 -다고 볼 수 있다/-다고 본다.	결론과 화자의 판단	• 결국 실제 상황과 비슷하게 훈련해야 한다고 봅니다.
한마디로 (말해서)	요약	• 한마디로 말해서 기본이 중요하다는 겁니다.

연습 문제 

정답 및 해설 p.119

> ※ 본 교재의 오디오 파일은 실제 시험보다 약간 빠르게 제작되었습니다.
>   이 속도에 맞춰 연습하시면 실제 시험장에서 한결 여유 있게 청취하실 수 있습니다.

※ [1~4] 다음을 듣고 <u>남자</u>의 중심 생각으로 가장 알맞은 것을 고르십시오.

1.
① 주말에는 집에서 쉬고 싶다.
② 직접 보고 사는 것이 더 낫다.
③ 온라인 쇼핑이 더 경제적이다.
④ 마트 물건은 품질이 좋지 않다.

2.
① 서로를 배려하는 마음이 필요하다.
② 피곤하면 자리에 앉는 것도 괜찮다.
③ 대중교통에서는 휴식을 취해야 한다.
④ 노인을 보면 반드시 자리를 양보해야 한다.

3.
① 남은 음식은 포장하면 된다.
② 회식은 즐겁게 하는 게 중요하다.
③ 음식은 필요한 만큼만 주문해야 한다.
④ 다양한 음식을 조금씩 맛보는 게 좋다.

4.
① 외국인을 위한 음식 교육을 강화해야 한다.
② 요리를 전문적으로 배우는 공간이 필요하다.
③ 혼자 사는 사람들을 위한 교류의 장이 필요하다.
④ 외국인 유학생들은 외식보다 집밥을 먹으면 좋다.

※ 다음을 듣고 <u>여자</u>의 중심 생각으로 가장 알맞은 것을 고르십시오.

5.
① 벽화보다 조각 작품이 효과적이다.
② 예술 활동은 전문가가 참여해야 한다.
③ 예술은 지역 경제를 발전시키는 수단이다.
④ 예술은 사람들을 연결하고 마을을 변화시킨다.

단어

- **공유**(共享 / sự chia sẻ): 두 사람 이상이 어떤 것을 함께 가지고 있음.
- **낡다**(破旧 / cũ): 물건이 오래되어 허름하다.
- **벽화**(壁画 / bức bích họa): 건물이나 동굴, 무덤 등의 벽에 그린 그림.
- **활기를 띠다**(充满活力 / trở nên sôi động): 생기 있고 힘차며 시원스러운 기운을 나타내다.
- **조각**(雕刻 / điêu khắc): 재료를 깎고 새기거나 빚어서 입체적인 모양을 만듦. 또는 그런 미술.

4-2 중심 내용 파악하기

41번 문제는 한 명의 화자가 약 5~8 문장으로 특정 전문 분야를 설명하는 형식이며, 강연이나 설명을 듣고 화자가 전달하려는 핵심 내용을 파악하는 유형입니다. 두 개의 문제가 한 세트로 출제되는 묶음형 문제이며, <세부 내용 이해하기(전략 3-2)>와 함께 나옵니다. 전문적인 어휘와 표현이 자주 사용되므로, 반복되는 핵심 단어와 문장을 중심으로 주제를 유추하면서 듣는 전략이 효과적입니다.

기출문제 — 2024년 96회 TOPIK II 41번

※ 이 강연의 중심 내용으로 가장 알맞은 것을 고르십시오.

① 돈덕전 건축에 특별한 기법이 적용되었다.
② 돈덕전은 외국 자본을 유지하여 건설되었다.
③ 돈덕전은 근대 국가의 위상을 보여 주는 외교 공간이었다.
④ 돈덕전은 철저한 관리를 통해 원형 그대로를 유지하고 있다.

단어

- **열강**(列强 / cường quốc) : 국제적인 영향력이나 세력이 강한 여러 나라.
- **즉위**(即位 / sự lên ngôi) : 임금이 될 사람이 임금의 자리에 오름.
- **접견하다**(接見 / tiếp kiến) : 공식적으로 손님을 만나다.
- **연회**(宴会 / yến tiệc) : 여러 사람이 모여 음식을 먹으며 즐기는 잔치.
- **위상**(威望 / vị thế) : 다른 것과의 관계 속에서 가지는 위치나 상태.

정답 ③

해설

여자 : 여기 사진에 붉은 벽돌과 푸른 빛의 창틀이 어우러진 프랑스풍의 서양식 2층 건물 보이시죠? 이곳은 바로 '돈덕전'입니다. 서양 열강에 근대화된 나라의 위상을 보여 주고 싶었던 고종은 즉위 40주년을 경축하는 국제적인 행사를 하기 위해 1902년부터 1년에 걸쳐 이곳을 만들었습니다. 이곳은 한동안 고종이 외교 사절을 접견하고 국외 주요 인사들과 연회를 베푸는 장소이자 국빈급 외국인의 숙소로 사용됐습니다. 이렇게 돈덕전은 근대 국가로서의 위상을 국제 사회에 한껏 드러내고자 한 곳이었습니다.

① 돈덕전 건축에 특별한 기법이 적용되었다.
 — 듣기 지문에서는 건축 양식이 '프랑스풍 서양식 2층 건물'이라고만 했지, 특별한 건축 기법이나 기술적 특징에 대해서는 언급하지 않았습니다.

② 돈덕전은 외국 자본을 유지하여 건설되었다.
 — 건설 자금, 즉 자본을 외국에서 조달했다는 내용은 없습니다. 오히려 돈덕전은 우리나라가 스스로 근대 국가임을 보여 주려는 상징적 건물로 설명했습니다.

③ 돈덕전은 근대 국가의 위상을 보여 주는 외교 공간이었다. 💡
 — 근대화된 나라의 위상을 보여 주고 싶었던 고종이 국제적인 행사를 위해 지었고, 외국 사절과 주요 인사를 접견하며 연회를 베푼 장소라고 했습니다. 따라서 돈덕전의 목적(위상 드러내기)과 기능(외교 행사용 공간)이 모두 포함된 ③이 정답입니다.

④ 돈덕전은 철저한 관리를 통해 원형 그대로를 유지하고 있다.
 — 현재의 상태나 보존 여부에 대한 언급은 없습니다. 돈덕전이 언제, 왜, 어떤 목적으로 지어졌는가에 초점이 맞춰져 있습니다.

기출 분석　상황 및 주제

- **전통 문화 · 역사 및 생활 풍습**
  - 과거의 생활 문화 · 궁중 의례 · 역사적 배경을 설명하며 전통 속에 담긴 가치와 시대적 맥락을 소개합니다.
  - 기출 : 조선 시대 왕의 밥상(60회), 배내옷의 의미(66회),
    돈덕전의 건립 목적과 외교적 기능(96회), 옻칠의 장점과 우수성(63회)

- **과학 기술 발전 및 산업 경제 구조 변화**
  - 산업 환경 변화, 기업의 전략, 시장 구조 재편 등 경제 · 산업 분야의 흐름을 분석합니다.
  - 기출 : 여섯 번째 미각, 깊은 맛의 발견(64회), 화성 탐사선의 바퀴 기술(83회),
    제조업의 사업 영역 확장(91회)

기출 분석　TIPS

- **핵심어 중심으로 듣기**
  - 강연에서 반복되거나 강조되는 핵심 단어를 먼저 파악하세요. 이에 대해 강연자가 필요성, 중요성, 효과 · 장점, 의의 중 어떤 내용을 말하는지 확인하면 중심 메시지를 빠르게 파악할 수 있습니다. 특히 지문의 처음 부분에서 주제가 제시되는 경우가 많으니 집중해서 들어 보세요.

- **함정 선택지 피하기**
  - 보기에는 항상 혼란을 주는 선택지가 있습니다. 본문의 세부 정보만 말한 보기, 지문보다 과장되거나 강한 표현, 일부분을 전체 주장처럼 왜곡한 보기, 부가 정보에만 초점을 맞춘 보기는 정답이 아닙니다. 중심 내용은 전체를 아우르는 핵심 주장이므로 이런 보기는 과감히 제외해 보세요.

- **듣기 지문의 전체 구조 이해하기**
  - 강연 지문은 〈주제 제시, 배경 · 계기, 구체적 내용 · 활동, 결과 · 효과, 화자의 생각 · 바람〉으로 구성되는 경우가 많습니다. 이 구조를 떠올리면서 들으면 중심 내용을 더 쉽게 파악할 수 있습니다. 특히 처음의 주제 제시 부분과 마지막의 화자 생각에 정답의 단서가 자주 등장합니다.

여기서 잠깐!

문법과 표현	의미	예문
–이라고 부른다. –을 의미한다. –이란 –을 말한다. –이라고 할 수 있다. –으로 정의할 수 있다.	개념 정의	• 이러한 현상을 '방관자 효과'라고 부릅니다. • 공동체 의식은 서로를 돕고 책임을 나누려는 마음가짐을 의미합니다. • '숨비소리'란 해녀들이 서로의 안전을 확인하기 위해 부르는 소리를 말합니다. • 최근 증가하는 1인 가구 현상은 도시 생활 방식의 변화라고 할 수 있습니다. • '친환경 소비'는 환경에 미치는 피해를 최소화하는 소비 활동으로 정의할 수 있습니다.
–아/어야 할 필요가 있다. 왜냐하면 –기 때문이다. –는 가장 중요하다. –(으)므로/–기 때문에 –기를 추천한다. –을 대표적인 예로 들 수 있다.	주장과 이유 근거 제시	• 학습 능력을 높이기 위해서는 충분한 수면 시간을 확보할 필요가 있습니다. 왜냐하면 잠이 부족하면 집중력이 떨어지기 때문입니다. • 또한 독서는 학업 성취도 향상에 가장 중요합니다. 독서를 꾸준히 하면 집중력이 높아지므로 학습 효과가 더욱 좋아집니다. • 이러한 이유로 하루 30분 이상 책을 읽는 시간을 확보하기를 추천합니다. 청소년이 자주 읽는 과학 도서와 인문 교양서는 독서 습관 형성에 도움이 되는 자료를 대표적인 예로 들 수 있습니다.
–아/어야 한다. –(으)ㄹ 필요가 있다. –지 말아야 한다. –(으)ㄹ 것이다.	의무, 권고, 금지, 강조와 예측	• 지역 발전을 위해 주민과 지방 정부가 함께 협력해야 합니다. • 앞으로도 소중한 우리 문화를 지켜 나갈 필요가 있습니다. • 건강을 위해 식습관을 과도하게 제한하지 말아야 합니다. • 문화유산을 보호하기 위해 앞으로 더 많은 시민 참여가 이루어질 것입니다.

연습 문제

정답 및 해설 p.122

> ※ 본 교재의 오디오 파일은 실제 시험보다 약간 빠르게 제작되었습니다.
>   이 속도에 맞춰 연습하시면 실제 시험장에서 한결 여유 있게 청취하실 수 있습니다.

※ [1~4] 다음을 듣고 물음에 답하십시오.

1. 이 강연의 중심 내용으로 가장 알맞은 것을 고르십시오.

① 해녀는 이제 사라져 가는 직업이므로 보존이 어렵다.
② 해녀의 일은 위험하므로 앞으로는 기계로 대신해야 한다.
③ 해녀의 정신은 오늘날에도 계승해야 할 소중한 문화유산이다.
④ 해녀의 역할은 바다에서 해산물을 채취하는 일에만 한정된다.

2. 이 강연의 중심 내용으로 가장 알맞은 것을 고르십시오.

① 뇌 흐림은 전문적인 치료가 반드시 필요하다.
② 뇌 흐림은 주로 심리적 요인에 의해 나타난다.
③ 뇌 흐림은 생활 습관을 조절하면 완화될 수 있다.
④ 뇌 흐림은 나이가 들면 자연스럽게 생기는 현상이다.

3. 이 강연의 중심 내용으로 가장 알맞은 것을 고르십시오.

① 오해를 피하려면 제스처보다 언어 사용에 집중해야 한다.
② 제스처는 언어의 한계를 보완하는 가장 정확한 수단이다.
③ 다른 문화권과 소통할 때는 제스처의 의미를 이해해야 한다.
④ 제스처는 시간의 흐름에 따라 바뀌므로 꾸준히 관찰해야 한다.

4. 이 강연의 중심 내용으로 가장 알맞은 것을 고르십시오.

① 기술은 인간보다 더 정확하게 판단할 수 있다.
② 기술의 발전이 인간의 삶을 편리하게 만들 것이다.
③ 기술이 인간의 자유를 침해하므로 사용을 줄여야 한다.
④ 기술이 발전할수록 인간의 생각하는 힘과 주도권을 지켜야 한다.

단어

- **채취하다**(开采 / khai thác): 자연에서 나는 것을 베거나 캐거나 하여 얻다.
- **계승하다**(继承 / kế thừa): 조상의 전통이나 문화, 업적 등을 물려받아 계속 이어 나가다.
- **문화유산**(文化遗产 / di sản văn hoá): 다음 세대에 계승·상속할 만한 가치를 지닌 문화적 산물.
- **증상**(症状 / triệu chứng): 병을 앓을 때 나타나는 여러 가지 상태.
- **과도하다**(过分 / quá mức): 정도가 지나치다.
- **수면**(睡眠 / giấc ngủ): 잠을 자는 일.
- **의식적으로**(有意识地 / một cách có ý thức): 어떤 것을 알거나 스스로 깨달아 일부러.
- **제스처**(手势 / cử chỉ): 말을 효과적으로 전달하기 위해 하는 몸짓이나 손짓.
- **기기**(机器 / thiết bị máy móc): 기계, 기구 등을 통틀어 이르는 말.
- **주도권**(主导权 / quyền chủ động): 중심이 되어 어떤 일을 이끌어 나갈 수 있는 권리나 권력.

5 주제(화제) 고르기

이 유형은 다큐멘터리, 강연을 듣고 담화 전체의 주제와 중심 내용을 파악하는 능력을 평가합니다. 화자가 무엇에 대해 이야기하고 있는지, 그 내용을 통해 무엇을 말하고자 하는지를 종합적으로 이해해야 합니다.

TOPIK Ⅱ 듣기 시험 후반부에 묶음형 문제의 한 문제로 나타납니다. [33~34번] 중 33번, [43~44번] 중 43번에서 출제되고, 세부 정보보다는 담화의 전체 흐름, 반복되는 핵심어, 결론 부분의 요약 표현에 주목해야 합니다. 듣기 전 미리 보기의 선택지를 먼저 읽는 것을 권장합니다.

기출문제

2024년 96회 TOPIK Ⅱ 33번

※ 무엇에 대한 내용인지 알맞은 것을 고르십시오.
① 정신 건강을 위협하는 환경
② 뇌 성장과 발달의 결정적 시기
③ 불편한 피부 자극에 대한 신경학적 설명
④ 촉각 방어 증상을 완화하기 위한 치료법

단어

- **신경망**(神经网络 / mạng nơ-ron) : 뇌나 신경계의 신호가 연결되어 있는 구조.
- **압박하다**(压迫 / án mạnh) : 힘으로 세게 누르다.
- **자극**(刺激 / kích ứng) : 어떠한 작용을 주어 감각이나 마음에 반응을 일으키게 함. 또는 그런 사물.
- **거부 반응**(排斥反应 / phản ứng từ chối) : 어떤 자극이나 상황을 받아들이지 않으려는 반응.

정답 ③

해설

여자 : 목까지 올라오는 옷이나 넥타이를 착용하는 걸 불편해하는 사람들이 있습니다. 그건 뇌의 신경망이 피부를 압박하는 자극을 위험한 신호로 과도하게 인식해서 나타나는 증상입니다. 이걸 '촉각 방어'라고 하죠. 이 증상은 신체 어디에서나 생길 수 있지만 특히 목에 많이 나타나는데요. 심한 경우 미용실에서 머리를 감거나 자를 때 목이 닿는 것이 걱정돼 거부 반응을 보이기도 합니다. 이런 증상은 보통 성장하면서 자연스럽게 없어집니다. 하지만 성인이 되고도 남아 있거나 악화되는 경우도 있습니다.

이 지문은 특정 증상이 왜, 어떻게 나타나는가를 신경학적 원리로 설명하고 있습니다. 문제에서는 반복된 핵심어(신경망, 자극, 뇌)를 중심으로 설명의 초점이 어디에 있는지를 확인해야 합니다.

- **도입** : 불편해하는 사람 – 왜 생기는가?
- **전개 흐름** : (반복된 단어) 증상, 목→촉각 방어→ 거부 반응→성장하면서 없어짐.
- **결말** : '하지만'으로 다른 현상을 제시.

① 정신 건강을 위협하는 환경
　－ 환경이 아닌 신경 반응에 대한 설명입니다.

② 뇌 성장과 발달의 결정적 시기
　－ 언급은 있지만 주제는 아닙니다.

③ 불편한 피부 자극에 대한 신경학적 설명 
　－ 압박하는 자극을 위험한 신호로 과도하게 인식하면 촉각 방어가 나타납니다.

④ 촉각 방어 증상을 완화하기 위한 치료법
　－ 치료 방법은 제시되지 않았습니다.

기출문제 2024년 96회 TOPIK Ⅱ 43번

※ 무엇에 대한 내용인지 알맞은 것을 고르십시오.

① 소금을 생산하는 과정
② 소금을 관리하는 방법
③ 소금이 지닌 경제적 가치
④ 소금이 건강에 미치는 영향

단어

- **염전**(盐田 / ruộng muối) : 바닷물을 막아 햇볕에 증발시켜서 소금을 만드는 곳.
- **증발하다**(蒸发 / bay hơi) : 어떤 물질이 액체 상태에서 기체 상태로 변하다.
- **정육면체**(正方体 / khối lục giác đều) : 크기와 모양이 같은 여섯 개의 정사각형으로 이루어진 정다면체.
- **인내**(忍耐 / sự nhẫn nại) : 괴로움이나 어려움을 참고 견딤.

정답 ①

해설

남자 : 눈 덮인 설산 같은 소금 더미, 뜨거운 태양 아래 소금 장인이 묵묵히 일하는 이곳 염전. 드넓은 갯벌에 칸막이를 만들고 바닷물을 가둬 놓았다. 바닷물이 증발하면서 염전 바닥에 하얀 정육면체 결정이 생겨나기 시작한다. 태양이 좀 더 머물고 바람이 살랑살랑 불어 주니 소금 결정이 눈처럼 쌓인다. 이제 소금을 수확할 시간. 염전 일꾼은 끌개로 부지런히 염전 바닥 가득한 소금 결정을 모아 한데 쌓아 놓는다. 포장하기 전 소금에 남아 있는 수분을 조금이라도 더 제거하기 위함이다. 이윽고 긴 인내의 끝에 자연과 인간이 빚어낸 소금이 탄생한다.

- **도입부 화제 파악** : '이곳' 염전.
- **전개 흐름** : 바닷물 증발 → 결정이 생김 → 모아 한데 쌓음.
- **결론 문장** : 자연과 인간이 빚어낸 소금이 탄생함.

① 소금을 생산하는 과정 ✔
   ─ 이 지문은 소금을 만드는 과정을 순서대로 설명한 설명문입니다.

② 소금을 관리하는 방법
   ─ 관리하는 방법은 언급되지 않았습니다.

③ 소금이 지닌 경제적 가치
   ─ 경제적 가치는 언급되지 않았습니다.

④ 소금이 건강에 미치는 영향
   ─ 해당 내용은 언급되지 않았습니다.

기출 분석 상황 및 주제

- **과학 · 기술 분야**
  - 기출: 촉각 방어 증상에 대한 의학, 심리학적 설명(96회), 노인 인지 기능 연구(91회),
    지퍼의 발명(83회), 비행기 타이어 구조와 질소 사용 이유(64회),
    황갈색수염상어 새끼의 성장 방식과 영양 섭취 과정(64회),
    자율주행차의 장점과 미래 사회 효용성(63회),
    우주 식품 제조 시 고려해야 하는 특징과 조건(60회), 오랑우탄과 사포닌(60회)

- **자연 · 환경 분야**
  - 기출: 염전에서 소금을 생산하는 과정(96회), 뇌 편도체의 작동 방식(83회),
    수중 유물의 발견 · 발굴 · 보존 과정(66회)

- **역사 · 고고학 분야**
  - 기출: 전통 건축(종묘 정전)의 구조와 미학(91회),
    종묘 제례악의 역사와 음악적 특징(66회), 신석기 시대 토기의 발명 배경(63회)

기출 분석 TIPS

- **처음 문장에서 주제 제시어를 파악하기**
  - 선택지를 통해 담화의 주제에 대해 어느 정도 예상을 한 후 들어야 합니다. 긴 담화는
    보통 처음 한두 문장에서 '무엇에 대한 말인지'를 알려 줍니다.

- **중간에서 반복되는 표현 찾기**
  - 담화 전체에 반복되는 단어와 표현을 유의하면 나중에 주제와 요지를 정리하기 쉽습니다.

- **마지막 문장에서 요지 확인하기**
  - 담화의 마지막 문장에는 화자가 말하고 싶은 결론이나 평가가 나오는 경우가 많으므로,
    중심 내용(주제)은 후반부에 집중하여 듣는 것이 좋습니다.

- **부분 정보의 함정에 빠지지 않기**
  - 들은 내용과 일부 일치하는 보기를 선택하는 것이 아닌, 지문 전체의 주제에 해당하는
    보기를 선택해야 합니다.

여기서 잠깐!

문법과 표현	의미	예문
−에 대해 말씀드리겠습니다. −을 소개하겠습니다.	주제 시작, 화제 도입	• 카메라 오작동 문제에 대해 말씀드리겠습니다. • 다음으로 사회 봉사 프로그램을 소개하겠습니다.
−이란 −을 말합니다. −이라고 합니다.	개념, 대상의 의미	• 이러한 현상을 '촉각 방어'라고 합니다.
먼저, 다음으로, 그 후, 특히, 또한, 반면에	설명의 순서, 비교	• 먼저 문제의 원인을 살펴보겠습니다. • 다음으로 해결 방안을 제시하겠습니다. • 특히, 청소년 보호 대책이 중요합니다. • 반면에, 온라인 수업을 어려워하는 학생들도 있습니다.
−기 때문에, −을 위해서, −으로 인해, 덕분에	이유를 밝힘	• 비가 많이 왔기 때문에 행사가 취소되었습니다. • 많은 분들이 도와주신 덕분에 행사가 잘 마무리되었습니다.
무엇보다, 특히, 중요한 것은, 주목할 점은, 필요하다.	강조, 직접 제시	• 무엇보다 학생들의 안전이 가장 중요합니다. • 주목할 점은, 이 프로그램이 무료로 제공된다는 것입니다.
예를 들어, 예컨대, 이런 경우, 대표적으로	예를 들어 설명	• 예컨대, 온라인 수업에서는 집중이 어려울 수 있습니다. • 대표적으로, 지자체의 지원 사업이 큰 역할을 하고 있습니다.
이렇게 해서, 결국, 이로써, 따라서, 즉, 이윽고, 결론적으로	전체 내용 정리 및 마무리	• 교통량이 크게 증가했습니다. 따라서 출퇴근 시간이 더 오래 걸리고 있습니다. • 스마트폰 사용 시간이 늘었습니다. 즉, 디지털 의존도가 높아졌다는 뜻입니다. • 하늘이 점점 어두워지더니 이윽고 비가 쏟아지기 시작했습니다.
하지만, 반면에, 다르게, 달리, 그러나	중심 내용과 대비, 두 가지 대상/현상을 비교	• 기존의 방법은 간단합니다. 반면에, 새 방법은 비용이 많이 듭니다.
도움이 된다, 영향을 미친다, 역할을 한다, 의미가 있다, 특징이 있다, 비결이다, 원리이다, 과정이다, 기능이다.	주제를 드러냄	• 이 정책은 지역 경제 활성화에 중요한 역할을 합니다. • 우주 식품은 미생물이 완전히 제거되어 있다는 특징이 있습니다. • 규칙적인 생활 습관은 건강을 유지하는 가장 큰 비결이다.

연습 문제

정답 및 해설 p.124

※ 본 교재의 오디오 파일은 실제 시험보다 약간 빠르게 제작되었습니다.
　이 속도에 맞춰 연습하시면 실제 시험장에서 한결 여유 있게 청취하실 수 있습니다.

※ [1~3] 다음을 듣고 물음에 답하십시오.

1. 무엇에 대한 내용인지 알맞은 것을 고르십시오.

① 향기가 건강에 미치는 영향
② 집중력을 향상하는 학습 전략
③ 향기가 집중력에 미치는 영향
④ 향기를 이용해 피로를 줄이는 방법

2. 무엇에 대한 내용인지 알맞은 것을 고르십시오.

① 도시 텃밭 사업은 농업 기술을 전수하기 위한 교육이다.
② 도시 텃밭 사업은 농산물 판매를 통해 수익을 올리는 것이다.
③ 도시 텃밭 사업은 지역 사회의 환경과 관계 개선에 도움을 준다.
④ 도시 텃밭 사업은 개인의 취미 활동을 지원하기 위한 프로그램이다.

3. 무엇에 대한 내용인지 알맞은 것을 고르십시오.

① 눈의 성질과 종류
② 이글루의 구조와 원리
③ 에스키모의 생활 도구
④ 북극 지방의 기후 변화

단어

• **집중력**(集中力 / khả năng tập trung) : 관심이나 생각 가지 일에 쏟아붓는 힘.
• **은은하다**(淡淡的 / thoang thoảng) : 냄새나 맛이 진하거나 세지 않고 약하다.

• **개선하다**(改善 / cải thiện) : 부족한 점, 잘못된 점, 나쁜 점 등을 고쳐서 더 좋아지게 하다.
• **공터**(空地 / đất trống) : 집이나 밭 등이 없는 빈 땅.
• **녹지**(绿地 / vành đai xanh) : 자연적으로 풀이나 나무가 많거나 계획적으로 풀이나 나무를 많이 심은 곳.

• **이글루**(冰屋 / lều tuyết) : 에스키모의 집, 얼음과 눈덩이로 둥글게 만든다.
• **돔**(圆顶 / vòm) : 공을 반으로 잘라 놓은 것처럼 모양이 둥근 지붕.
• **본체**(本质 / bản chất) : 사물이나 인간의 정체, 근본이 되는 원래의 바탕.
• **혹독하다**(严酷 / khắc nghiệt) : 몹시 심하다.

6 화자의 신분과 말하기 태도(방식) 파악하기

이 유형은 TOPIK II 듣기 시험의 중후반부에 출제됩니다. 화자의 신분 고르기는 [29~30번] 중 29번에서 출제되며, 인터뷰 형식의 대화(여자-남자-여자-남자 / 남자-여자-남자-여자)를 듣고 화자의 직업이나 신분을 추론해야 합니다.

화자의 태도나 말하기 방식 파악하기는 [31~32번] 중 32번, [45~46번] 중 46번, [47~48번] 중 48번, [49~50번] 중 50번에서 출제됩니다. 이때는 주로 대화, 토론, 강연 등의 담화를 듣고 화자의 말하기 방식이나 태도를 추론해야 합니다. 보기 선택지에 자주 등장하는 단어나 태도와 관련된 표현을 익혀 두는 것도 좋습니다.

기출문제

2024년 96회 TOPIK II 29번

※ 남자가 누구인지 고르십시오.

① 해양 생태계를 연구하는 사람 ② 해양 구조물을 설치하는 사람
③ 해양 스포츠를 홍보하는 사람 ④ 해양 에너지를 개발하는 사람

단어

- **해조류**(海藻类 / loài tảo biển) : 미역, 김, 다시마 등과 같이 바다에서 나며 포자로 번식하는 식물.
- **아열대 생물**(亚热带生物 / sinh vật cận nhiệt đới) : 온대와 열대의 중간 기후대에 생존하는 동물과 식물.
- **수온**(水温 / nhiệt độ của nước) : 물의 온도.
- **어종 분포**(鱼种分布 / phân bố loài cá) : 어떤 지역이나 바다에 다양한 물고기 종류가 퍼져 있는 상태.

정답 ①

해설

여자 : 박사님께서는 지난 20년 동안 제주 바다와 함께해 오셨는데요. 현재 제주 바다의 해양 상태는 어떤가요?

남자 : 해조류가 줄어들고 아열대 생물들이 늘어나고 있습니다. 기후 변화 때문이죠. 해조류를 먹이로 하는 생물들도 영향을 받고 있고요.

여자 : 그동안은 제주 바다의 수온 변화와 생태계의 관계에 대한 논문을 많이 발표해 오셨는데요. 최근에는 어떤 연구를 수행하고 계신지요?

남자 : 작년부터 다른 국가와 공동으로 팀을 꾸려서 태평양의 어종 분포에 대해 조사하고 있습니다.

- 호칭에 주목합니다.
  - 남자의 신분에 대한 문제이므로 여자가 남자를 어떻게 소개하는지 파악해야 합니다.
- '논문을 발표하다, 연구를 수행하다'는 표현에 주목해야 합니다.
- 해조류, 아열대 생물, 수온 변화, 어종 분포 등의 전문어를 이해해야 합니다.
- 위와 같은 표현과 단서들을 모아 보십시오.

① 해양 생태계를 연구하는 사람 ✅
  - 호칭과 행동, 그리고 전문 용어를 종합하면 남자가 해양 생태계 연구자라는 사실을 파악할 수 있습니다.

② 해양 구조물을 설치하는 사람
  - 구조물 설치는 시공, 공사와 관련이 있으므로 정답이 아닙니다.

③ 해양 스포츠를 홍보하는 사람
  - 스포츠 홍보와 관련된 단어가 전혀 없습니다.

④ 해양 에너지를 개발하는 사람
  - 에너지 개발과 관련된 단서를 찾을 수 없습니다.

기출문제

2024년 96회 TOPIK II 46번

※ 여자가 말하는 방식으로 알맞은 것을 고르십시오.

① 데이터를 통해 결과를 예상하고 있다.
② 자료를 분석해 개념을 규정하고 있다.
③ 이유를 나열하며 원리를 알려 주고 있다.
④ 설정한 기준에 따라 문제점을 지적하고 있다.

단어

- 밀폐하다(密封 / đóng chặt) : 빠져나갈 틈이 없이 꼭 막거나 닫다.
- 압력(压力 / áp lực) : 누르는 힘.
- 분해되다(分解 / được phân giải) : 여러 부분으로 이루어진 것이 그 부분이나 성분으로 따로따로 나뉘다.
- 균일하다(均匀 / đều) : 차이가 없이 같다.

정답 ③

해설

여자 : 무쇠로 만든 전통 가마솥에 밥을 지으면 밥맛이 참 좋은데요. 왜 그럴까요? 첫째, 솥뚜껑 무게 때문입니다. 솥뚜껑은 솥 무게의 3분의 1에 달할 정도로 무겁습니다. 이 솥뚜껑으로 솥을 덮으면 공기와 수증기가 빠져나가지 못하도록 밀폐할 수 있죠. 덕분에 내부 압력이 올라가고 고온 상태가 유지돼 쌀이 익는 속도가 빨라집니다. 이렇게 익히면 쌀의 전분이 포도당으로 빨리 분해돼 밥의 풍미가 올라갑니다. 둘째, 솥 바닥의 두께 때문에 밥맛이 깊어집니다. 불에 닿는 중앙 부분은 두껍고 가장자리로 갈수록 얇아지는데요. 그래서 열이 솥 전체에 균일하게 전달돼 쌀알 하나하나가 골고루 잘 익는 겁니다.

- 화자의 말하기 방식을 파악하려면 첫 문장에 주목해야 합니다. 어떤 주제의 내용인지는 보통 첫 문장을 통해 알 수 있기 때문입니다.
- 전체 담화의 흐름은 다음과 같습니다.
  - '솥에 밥을 지으면 밥맛이 좋다'는 사실을 제시한 뒤, '왜 그럴까?'라는 질문을 던지고, 이어서 '첫째, 둘째'와 같이 원인을 단계적으로 설명하고 있습니다.

① 데이터를 통해 결과를 예상하고 있다.
  - 수치, 통계에 대한 표현이 없습니다.

② 자료를 분석해 개념을 규정하고 있다.
  - 작동 원리를 설명하고 있지 개념을 설명하고 있는 것이 아닙니다.

③ 이유를 나열하며 원리를 알려 주고 있다.
  - 솥뚜껑 무게와 솥 바닥의 두께 때문에 밥맛이 좋아집니다.

④ 설정한 기준에 따라 문제점을 지적하고 있다.
  - 가마솥의 장점만 설명하고 있지 단점에 대한 언급은 없습니다.

기출문제

2024년 96회 TOPIK Ⅱ 48번

※ 남자의 태도로 알맞은 것을 고르십시오.

① 제도의 필요성과 의의를 강조하고 있다.
② 제도의 지나친 확대 적용을 경계하고 있다.
③ 제도의 한계를 지적하며 개선책을 촉구하고 있다.
④ 제도의 내용을 언급하며 사회적 관심을 호소하고 있다.

단어

- **실효성**(实效性 / tính hiệu quả) : 실제로 효과를 나타내는 성질.
- **견제하다**(牽制 / kìm hãm) : 상대방이 자유롭게 행동하거나 힘이 강해지지 못하도록 하다.
- **선임되다**(被选任 / bổ nhiệm) : 어떤 일이나 자리를 맡을 사람으로 뽑히다.
- **무색하다**(尷尬 / mất ý nghĩa) : 부끄럽거나 민망하여 마음이 편하지 않다.

정답 ③

해설

여자 : 건실한 기업을 만들고자 도입된 사외 이사 제도가 법제화된 지도 벌써 25년이 지났는데요. 그 실효성 논란이 끊이지 않습니다.

남자 : 사외 이사 제도는 기업 내부자 이외에 외부 전문가도 이사회에 참여시키는 제도로, 기업 내 권력 집중을 막고 경영에 전문 지식을 활용하기 위해 도입됐습니다. 그러나 경영진에게도 사외 이사 추천권이 있어서 자신들과 친분이 있는 인물을 추천하고, 그러다 보니 이들이 경영진을 견제하기란 쉽지 않습니다. 또 전문성이 검증되지 않은 인물이 선임되기도 해 제도의 취지를 무색하게 하죠. 후보 추천 방법을 개선하고 자격 검증을 강화하는 등의 대책 마련이 시급합니다.

- 남자와 여자 중 누구의 태도를 묻는지에 주목해야 합니다.
- 대화가 시작되기 전에 보기를 미리 살펴 보면 이야기의 주제를 추측할 수 있습니다.
- 제도에 관련된 문제이므로 남자의 표현을 잘 들어야 합니다.
- 화자의 태도 : 긍정 – 문제 제시 – 개선 요구
- 남자는 사외 이사 제도의 긍정적 의의를 인정하지만, 한계를 지적하고 제도적 대책 마련을 요구하고 있습니다.

① 제도의 필요성과 의의를 강조하고 있다.
　- 제도의 취지를 잠깐 설명하지만, 필요성과 의의를 강조하는 목적은 아닙니다.

② 제도의 지나친 확대 적용을 경계하고 있다.
　- '확대 적용'이라는 말이 등장하지 않고, 해당 내용을 비판한 적도 없습니다.

③ 제도의 한계를 지적하며 개선책을 촉구하고 있다. 💡

④ 제도의 내용을 언급하며 사회적 관심을 호소하고 있다.
　- 제도의 내용을 소개하면서, '사회가 관심을 가져야 한다'는 호소는 없습니다.

기출 분석　상황 및 주제

- **직무 인터뷰**
  - 다양한 직업이나 특정 분야의 업무를 소개하는 형식의 인터뷰가 주로 출제됩니다.
  - 기출 : 해양 생태계 전문가(96회), 교통 방송 리포터(91회), 게임 오류 검수팀 직원(83회),
　　　전자책 구독 서비스 운영자(64회), 벌을 기르는 사람(63회)

- **지역 사회 제도 논의**
  - 지역에서 발생하는 제도 개선, 공공시설 설치, 행정 서비스 운영 문제 등을 둘러싼 의견이
　　제시되며, 찬반 또는 해결 방안을 중심으로 대화가 전개됩니다.
  - 기출 : 오토바이 사고 감소를 위한 번호판 제도 개선(96회), 생활 폐기물 처리 시설 설치
　　　에 대한 지역 갈등(91회), 업무 효율화를 위한 프로그램 개선 논의(83회),
　　　국가지점번호 제도 도입과 문제점(64회)

- **경제 정책**
  - 국가·지역·기업 단위의 경제 제도, 지원 정책이 주제로 제시되며, 정책의 필요성·
　　효과·개선점 등을 논의합니다.
  - 기출 : 사외 이사 제도(96회), 소상공인 금융 지원 정책(91회),
　　　사회적 자본의 경제적 가치(83회), 대학생 창업 지원 정책(64회)

- **과학/기술 분야**
  - 자연과학, 의학, 공학 등에서 특정 원리, 기능, 구조, 현상에 대한 설명이 제시되며, 과학
　　적 근거를 바탕으로 정보 전달 위주의 강연이 출제됩니다.
  - 기출 : 전통 가마솥의 원리(96회), 로켓 발사 시각(96회), 맹장의 면역 기능(91회)

- **철학/법/역사/전통문화/예술 분야**
  - 철학적 개념 설명, 법 제도 분석, 역사적 기록, 전통문화 소개, 예술·악기 등 인문·사회
　　이슈를 설명하는 강연 형태가 자주 출제됩니다.
  - 기출 : 도덕성 판단 기준(91회), 법 제도와 공정성(83회), 조선 시대 장악원(83회),
　　　조선 후기 왕들의 일기(64회), 색소폰의 구조와 특징(64회)

기출 분석　TIPS

- **첫 문장에 집중하기**
  - 대화나 담화의 첫 문장은 화자의 직업, 역할, 주제를 가장 명확히 드러내는 부분입니다.
　　대부분의 화자 신분 문제는 첫 문장에서 직업적 역할이 암시되므로, 첫 문장을 놓치지 않
　　고 듣는 것이 핵심입니다.

- **신분과 직업 관련 어휘 단서 찾기**
  - 호칭과 전문어, 핵심 동사를 유의하여 듣는 것이 좋습니다.

- **담화 전개 구조 및 연결어 파악하기**
  - 화자의 말하기 방식을 이해하려면, 문장 하나하나보다 담화 전체가 어떻게 전개되는지를
　　보는 게 중요합니다. 이때 가장 큰 힌트가 되는 것이 바로 연결어입니다.

- **태도 선택 시 논리적 태도 표현 단서 잘 듣기**
  - 화자가 주제에 대해 긍정적인지 부정적인지, 표현과 평가 어휘를 중심으로 풀어야 합니다.

여기서 잠깐!

유형	어휘	예문
호칭, 신분 및 직업 관련 표현	팀장님, 박사님, 연구원, 개발팀	• 생태계를 연구하고 있습니다. • 개발을 담당하고 있습니다. • 위생을 관리하고 있습니다. • 환자를 진료하고 있습니다. • 수업을 맡고 있습니다.
말하기 태도 표현	동의, 반박, 요구, 강조, 경계, 촉구, 호소, 걱정, 확신, 기대, 감탄, 제안, 낙관, 과대평가, 필요성 제기, 우려, 주장, 높이 평가, 긍정적 평가, 검토, 비판, 지지, 공감, 지적, 수용, 유보, 당부, 강구, 의심, 예측, 염려, 회의적	• 회의적으로 바라보고 있습니다. • 주장을 반박하고 있습니다. • 문제를 염려하고 있습니다. • 협조를 당부하고 있습니다. • 미래를 낙관하고 있습니다.
연결어 및 담화 전개 표현	그런데, 하지만, 그래서, 따라서, 결국, 이 때문에, 반면에, 이처럼	• 왜 그럴까요? • 첫째, 둘째 • 먼저, 다음으로, 마지막으로 • 최근에는/앞으로는 • 그건 −이기 때문입니다. • 이를 해결하기 위해

연습 문제

정답 및 해설 p.126

> ※ 본 교재의 오디오 파일은 실제 시험보다 약간 빠르게 제작되었습니다.
> 이 속도에 맞춰 연습하시면 실제 시험장에서 한결 여유 있게 청취하실 수 있습니다.

※ [1~4] 다음을 듣고 물음에 답하십시오.

1. 남자가 누구인지 고르십시오.

① 식품을 판매하는 매장 직원
② 식품 안전을 관리하는 공무원
③ 식품 영양 성분을 연구하는 학자
④ 식품 유통 회사를 운영하는 사람

2. 남자의 태도로 가장 알맞은 것을 고르십시오.

① 예약 시스템의 편리성을 비판하고 있다.
② 병원 예약 시스템의 도입을 반대하고 있다.
③ 시스템의 장점을 인정하면서 보완책을 제시하고 있다.
④ 환자들의 예약 취소 문제를 단순한 일시적 현상으로 본다.

3. 남자의 태도로 가장 알맞은 것을 고르십시오.

① 재택근무제의 효과를 과대평가하고 있다.
② 재택근무제의 확대를 적극 주장하고 있다.
③ 재택근무제의 장점을 인정하면서 제한적 운영을 제안하고 있다.
④ 재택근무제의 도입을 우려하며 실행 과정 중의 어려움을 토로하고 있다.

4. 여자가 말하는 방식으로 알맞은 것을 고르십시오.

① 장점과 한계를 제시하며 해결 방향을 제안하고 있다.
② 현상의 원인을 구체적인 통계 수치로 제시하고 있다.
③ 사례를 나열하며 기술 발전의 과정을 설명하고 있다.
④ 전기차의 장점을 강조하며 친환경성을 홍보하고 있다.

단어

- **우려**(忧虑 / sự lo lắng) : 근심하거나 걱정함. 또는 그 근심이나 걱정.
- **협업**(协作 / hợp tác) : 많은 사람들이 힘을 합해서 하는 일.

- **배출**(排出 / sự thải) : 안에서 만들어진 것을 밖으로 밀어 내보냄.
- **연료비**(燃料费 / phí nhiên liệu) : 연료를 사는 데 드는 비용.
- **보조금**(补助金 / tiền trợ cấp) : 정부나 공공 단체가 정책을 펼치거나 특정 산업을 도와주기 위해 기업이나 개인에게 지원해 주는 돈.
- **채굴하다**(采掘 / khai thác mỏ) : 땅속에 묻혀 있는 광물 등을 캐내다.

7 담화 상황 고르기

이 유형은 남녀의 대화 또는 공식적인 자리에서의 인사말을 듣고 화자가 무엇을 하고 있는지 찾는 유형입니다. [23~24번] 중 23번은 공공시설에서 하는 일에 관한 남녀의 대화입니다. [35~36번] 중 35번은 한 사람이 공식적인 자리에서 많은 사람들 앞에서 자신의 생각이나 주장을 발표하는 담화입니다. 둘 다 말하는 사람이 무엇을 하고 있는지를 파악하는 능력을 평가하는 것을 목적으로 하며, <세부 내용 이해하기(전략 3-2)>와 함께 묶음형 문제로 출제되므로 한 지문을 듣고 두 문제를 푸는 연습을 해 두어야 합니다.

기출문제

2024년 96회 TOPIK Ⅱ 23번

※ 남자가 무엇을 하고 있는지 고르십시오.

① 박물관 단체 관람을 예약하고 있다.
② 박물관 관람 시간에 대해 문의하고 있다.
③ 상설 전시회가 열리는 장소를 확인하고 있다.
④ 전시실의 설명을 수정해 달라고 요청하고 있다.

단어

• **상설**(常设 / việc bố trí sẵn) : 언제든지 이용할 수 있도록 설비와 시설을 마련해 둠.
• **전시실**(展览室 / phòng trưng bày) : 물건을 전시해 놓은 방.

정답 ④

해설

남자 : 방금 3층 상설 전시관에서 관람하고 내려왔는데요. 전시관에 써 놓은 설명 내용에 잘못된 게 있어서요.
여자 : 죄송합니다. 뭐가 잘못되어 있나요?
남자 : 첫 번째 전시실을 소개하는 영어 설명 중에 틀린 단어가 하나 있더라고요. 박물관에 외국인도 많던데 빨리 고쳐 주시면 좋겠어요.
여자 : 말씀해 주셔서 감사합니다. 바로 올라가서 확인해 보겠습니다.

① 박물관 단체 관람을 예약하고 있다.
　─ 이미 관람을 끝낸 방문객임을 알 수 있고, 예약에 관한 대화는 전혀 없습니다.

② 박물관 관람 시간에 대해 문의하고 있다.
　─ 개관·마감·입장 시간 등에 대해 질문하고 있는 것이 아닙니다.

③ 상설 전시회가 열리는 장소를 확인하고 있다.
　─ 장소를 묻거나 찾는 표현이 없고, 오히려 3층 상설 전시관을 스스로 특정해 장소를 이미 알고 있습니다.

④ 전시실의 설명을 수정해 달라고 요청하고 있다. 💡
　─ 전시실 안내문의 오류를 지적하고 수정을 요청하는 발화입니다.

기출문제

2024년 96회 TOPIK II 35번 

※ 남자가 무엇을 하고 있는지 고르십시오.

① 선수 생활을 마치면서 소감을 밝히고 있다.
② 올림픽 출전에 대한 포부를 드러내고 있다.
③ 대표 선수를 선발하는 절차를 소개하고 있다.
④ 경기를 하기 전에 선수를 대표해 선서하고 있다.

단어

- **소감**(感想 / cảm nghĩ) : 어떤 일에 대하여 느끼고 생각한 것.
- **출전**(參賽 / tham gia thi đấu) : 시합이나 경기에 나감.
- **포부**(抱负 / hoài bão) : 마음속에 가지고 있는 미래에 대한 계획이나 희망.
- **절차**(步骤 / trình tự) : 일을 해 나갈 때 거쳐야 하는 순서나 방법.

정답 ①

해설

남자 : 오늘 이렇게 배구 선수로서의 마지막 경기를 마련해 주신 대한배구협회와 국내뿐만 아니라 해외에서도 와 주신 팬분들께 감사드립니다. 고등학교 때 처음 국가대표 유니폼을 입고 17년 동안 세 번의 올림픽과 네 번의 아시안 게임에 출전하면서 우리나라를 대표할 수 있어 영광이었습니다. 다만 2년 전 올림픽에서 우승하지 못한 것이 조금 아쉽기는 한데요. 저의 이런 아쉬움은 앞으로 태극 마크를 달고 뛸 후배들이 달래 줄 거라 믿습니다. 저는 코트를 떠나지만, 배구에 대한 여러분의 사랑은 변함없으리라 생각합니다. 감사합니다.

① 선수 생활을 마치면서 소감을 밝히고 있다. ✅
- '마지막 경기, 코트를 떠난다'를 통해 선수 생활이 종료된 것을 알 수 있습니다. 남자는 은퇴하면서 '감사하다' 등 느낀 점을 이야기하고 있습니다.

② 올림픽 출전에 대한 포부를 드러내고 있다.
- 올림픽이 언급되긴 하지만, 이미 세 번의 올림픽에 출전했다는 과거 경험을 회상하는 내용입니다. 포부가 드러나기 위해서는 앞으로 열심히 하겠다는 미래 지향적 내용이 들어가야 합니다.

③ 대표 선수를 선발하는 절차를 소개하고 있다.
- 배구 선수의 평가, 기준, 심사 등 절차에 대한 언급이 없습니다. '대표'라는 단어는 있으나, 본인이 국가대표로 활동했다는 의미입니다.

④ 경기를 하기 전에 선수를 대표해 선서하고 있다.
- 선서는 경기가 시작하기 전에 하는 공식 발언인데 듣기의 내용은 이미 경기가 끝난 후의 상황이므로 시점이 맞지 않습니다.

기출 분석 상황 및 주제

- 23번은 공공 기관·시설·서비스 이용처럼 일상생활에서 실제로 발생하는 업무 처리·문의 상황이 주로 출제됩니다.
  - 기출: 정장 대여 방법 문의(60회), 자원봉사자 업무 및 자격 조건 문의(63회),
    운전면허증 재발급 절차 문의(64회), 방송 출연 섭외 요청(66회),
    입사 전 준비해야 할 일 안내(83회), 중고 냉장고 구매 상담(91회),
    전시실 설명문 수정 요청(96회)

- 35번은 공식적인 상황에서의 소감, 업적 소개, 사과, 선언 등 메시지 전달이 출제됩니다.
  - 기출: 영화인의 생애와 업적 소개(64회), 새로운 팀에 들어온 소감 발표(66회),
    극장 재개관 인사말(83회), 박물관 전시 편지의 가치 설명(91회),
    배구 선수 은퇴 소감(96회), 카메라 결함에 대한 사과문 발표(60회),
    창간 10주년 기념 모바일 신문 전환 선언(63회)

기출 분석 TIPS

- **선택지의 서술어 먼저 보기**
  - 선택지에 나오는 서술어를 보고 화자가 '무엇을, 어떻게, 왜' 하고 있는지 파악해야 합니다. 공공시설에서의 대화 문제(23번)는 '알아보다, 문의하다, 예약하다, 변경하다, 추천하다, 설명하다, 제안하다, 지적하다, 점검하다' 등 서술어에 주목합니다. 대화를 듣기 전 '이 중 어떤 행동을 할까?'를 예측하며 듣습니다.

- **공용 시설·기관명에 주목하기**
  - 직장·학교·공공 기관·관공서·업체·상점·회사·호텔·박물관 등 사회생활 중심의 소재가 나옵니다. 센터, 박물관, 도서관, 은행 등 공공장소 이름이 나오면 그 기관의 주요 기능을 떠올리고 메모해 두세요. 예를 들어 도서관의 경우, 대여·예약·문의·신청 등을 생각해 둘 수 있습니다.

- **들어야 하는 대상의 첫 문장과 마지막 문장 잘 듣기**
  - 공식적인 자리에서 인사말(35번)의 경우 화자의 첫 문장에서 용건을 제시하므로 정답의 단서가 되는 경우가 많습니다. 무언가를 표현하기, 소개하기, 설명하기, 홍보하기, 부탁하기, 발표하기, 포부 드러내기, 소감 밝히기, 선서하기, 강조하기, 당부하기, 진단하기, 다짐하기, 주장하기, 조사하기, 요청하기, 사과의 말을 전하기, 양해를 구하기 등 시험에 자주 나오는 어휘의 뜻을 파악해 두세요.
  - 화자가 '무엇을, 어떻게, 왜' 하고 있는지 첫 문장과 마지막에 화자의 발화 의도가 나타나는 경우가 많으므로 들으면서 서술어를 메모하면 좋습니다.

여기서 잠깐!

상황	어휘	예문
시상식, 수상 소감	수상, 영광, 감사, 노력, 격려, 발표	• 수상하게 되어 영광입니다. • 함께 노력한 분들께 감사드립니다. • 더 열심히 하라는 격려로 생각하겠습니다. • 첫 작품을 발표한 지도 10년이 지났습니다.
신입생 입학식	환영, 축하, 출발, 시작, 미래, 응원	• 여러분, 환영합니다. 입학을 진심으로 축하합니다. • 새로운 출발을/시작을 응원하겠습니다. • 여러분의 미래가 밝기를 바랍니다.
졸업식 축하 인사	축하, 추억, 노력, 미래	• 졸업을 진심으로 축하드립니다. • 여러분의 노력에 박수를 보냅니다. • 학교에서의 추억을 소중히 간직하시기 바랍니다.
행사 개회식, 창립 기념행사	축하, 의미, 의의, 감사	• 오늘 행사의 개최를 진심으로 축하드립니다. • 창립 10주년을 진심으로 축하합니다. • 이 행사가 큰 의미/의의를 가지길 바랍니다. • 함께해 주신 모든 분들께 감사드립니다.
간담회, 사업 설명회 인사	관심, 성원, 참여, 협력	• 사업에 많은 관심과 성원 부탁드립니다. • 여러분의 적극적인 참여를 기대하겠습니다. • 함께 협력하여 좋은 결과를 만들겠습니다.
당선 감사 인사	감사, 공약, 신뢰, 시민	• 믿고 지지해 주신 시민 여러분께 감사드립니다. • 공약을 실천하여 보답하겠습니다. • 시민의 목소리를 정책으로 반영하겠습니다. • 신뢰받는 공직자가 되겠습니다.
도서관, 전시관 개관식	개관, 축하, 전시, 운영	• 개관을 진심으로 축하드립니다. • 전시가 국내에서 처음으로 공개되어 뜻깊습니다. • 운영이 잘 이루어지길 바랍니다. • 많은 시민들이 이용하기를 바랍니다.
제품 고장, 사고에 대한 사과	사과, 조사, 점검, 조치, 재발, 방지 신뢰, 회복	• 불편을 끼쳐 드려 진심으로 사과드립니다. • 원인을 면밀히 조사하였습니다. • 신속히 조치를 취하고 재발을 방지하겠습니다. • 고객 여러분의 신뢰를 회복하겠습니다.
국제 행사 교류 행사	우정, 협력, 교류, 발전	• 양국의 우정과 협력이 더욱 깊어지길 바랍니다. • 서로의 문화를 이해하고 교류하는 좋은 기회가 되길 바랍니다. • 함께 발전하는 미래를 기대합니다.

단어
- **창립**(创立 / thành lập): 기관이나 단체 등을 새로 만들어 세움.
- **공약**(承诺 / cam kết): 정부, 정당, 입후보자 등이 앞으로 어떤 일을 하겠다고 국민에게 약속함. 또는 그런 약속.

연습 문제 

정답 및 해설 p.128

※ 본 교재의 오디오 파일은 실제 시험보다 약간 빠르게 제작되었습니다.
　 이 속도에 맞춰 연습하시면 실제 시험장에서 한결 여유 있게 청취하실 수 있습니다.

※ [1~5] 다음을 듣고 물음에 답하십시오.

1. 남자는 무엇을 하고 있는지 고르십시오.

① 주민등록증 받을 주소를 변경하고 있다.
② 주민등록증을 분실했다고 신고하고 있다.
③ 주민등록증 사진의 조건을 확인하고 있다.
④ 주민등록증의 재발급 방법을 설명하고 있다.

2. 남자는 무엇을 하고 있는지 고르십시오.

① 호텔 객실 예약을 변경하고 있다.
② 숙박을 취소하기 위해 상담하고 있다.
③ 체험 프로그램 참가비를 결제하고 있다.
④ 체험 프로그램 이용 방법을 문의하고 있다.

3. 남자는 무엇을 하고 있는지 고르십시오.

① 시민 토론회를 진행하고 있다.
② 당선 소감을 이야기하고 있다.
③ 공약 실천 계획을 설명하고 있다.
④ 교육과 복지 정책을 소개하고 있다.

4. 남자는 무엇을 하고 있는지 고르십시오.

① 대기 오염의 원인을 분석하고 있다.
② 새로운 전기 버스 모델을 소개하고 있다.
③ 미세 먼지 수치가 유지되도록 협조를 부탁하고 있다.
④ 환경 오염을 줄이기 위한 실천 계획을 발표하고 있다.

5. 남자는 무엇을 하고 있는지 고르십시오.

① 퇴임식에서 감사 인사를 하고 있다.
② 시민과의 대화 행사를 진행하고 있다.
③ 선거 출마를 공식적으로 선언하고 있다.
④ 지역 발전을 위한 보고회를 진행하고 있다.

단어

• **숙박객**(住客 / khách lưu trú) : 여관이나 호텔 등에서 잠을 자고 머무르는 사람.

• **공약**(承诺 / cam kết): 정부, 정당, 입후보자 등이 앞으로 어떤 일을 하겠다고 국민에게 한 약속.

• **부응하다**(不辜负 / đáp ứng): 기대나 요구에 응하다.

• **미세 먼지**(微尘 / bụi mịn) : 입자가 아주 작은 먼지.

• **노후**(老化 / xuống cấp) : 시설이나 물건 등이 오래되고 낡음.

• **도심**(市中心 / trung tâm thành phố) : 도시의 중심.

• **협조**(协助 / phối hợp) : 힘을 보태어 도움.

• **자부심**(自豪感 / niềm tự hào) : 스스로 자신의 가치나 능력을 믿고 떳떳이 여기는 마음.

• **출마**(参选 / tham gia tranh cử) : 선거에 나감.

---

8 화자의 의도 및 이전의 대화 내용 파악하기

이 유형은 대화 내용을 단순히 이해하는 것을 넘어, 말하는 사람의 생각이나 지금 대화가 시작되기 직전에 무슨 이야기를 했는지를 추측하는 데 중점을 둡니다. 주로 TOPIK Ⅱ 듣기 시험의 [27~28번] 중 27번과 [39~40번] 중 39번에서 출제되는데, 이들은 <세부 내용 이해하기(전략 3-2)>와 함께 묶음형 문제로 출제됩니다.

1 화자의 의도 파악하기 : 27번은 화자가 이 말을 왜 하는지, 무엇을 말하고 싶은지 숨겨진 목적을 찾는 유형입니다. 단순히 정보를 전달하는 것 외에 자신의 의견, 불만, 조언, 또는 설득하려는 마음을 정확하게 알아내야 합니다. 대화의 전체적인 분위기, 말하는 사람의 어조와 사용한 단어를 주의 깊게 들어야 합니다.

2 이전의 대화 내용 파악하기 : 39번은 현재 듣는 대화를 단서로 사용해서, 이 대화가 시작되기 바로 전에는 어떤 주제로 이야기를 나누고 있었는지를 추측하는 문제입니다. 대화 초반에 나오는 단어나 질문 등을 통해 이전의 상황을 자연스럽게 연결하고 상상하는 능력이 필요합니다.

1 화자의 의도 파악하기

기출문제 2024년 96회 TOPIK Ⅱ 27번

※ 남자가 말하는 의도로 알맞은 것을 고르십시오.
① 대학 축제의 필요성을 설명하려고
② 대학 축제의 문제점에 대해 지적하려고
③ 대학 축제에 대한 반응을 알려 주려고
④ 대학 축제에 출연하는 가수를 홍보하려고

단어

- **쓸쓸하다**(苦涩 / cay đắng) : 싫거나 언짢은 기분이 조금 나다.
- **홍보**(宣传 / quảng bá) : 널리 알림.
- **교류하다**(交流 / giao lưu) : 문화나 사상 등이 서로 오가거나 문화나 사상 등을 서로 주고받다.

정답 ②

해설

남자 : 올해 우리 대학 축제에 가수 김민수 씨가 온대. 언제부턴가 대학 축제가 가수 콘서트처럼 변해 가는 거 같아.

여자 : 난 좋은데. 김민수 씨 팬인데 표가 비싸서 콘서트에 못 갔거든.

남자 : 작년 축제 때 학과에서 하는 행사엔 참여하지 않고 공연만 보러 오는 학생들이 많았잖아. 관심이 공연에만 집중되는 거 같아서 좀 쓸쓸해.

여자 : 그래도 유명 가수가 오면 학교 홍보도 되고 좋은 면도 있을 거야.

남자 : 올해는 작년보다 학생이 직접 참여하고 교류하는 행사가 더 줄어들었어. 그건 좀 잘못된 것 같아.

① 대학 축제의 필요성을 설명하려고

② 대학 축제의 문제점에 대해 지적하려고 
  — 대학 축제에 대해 쓸쓸하다, 잘못됐다고 언급하며 현재 대학 축제의 문제점을 이야기하고 있습니다.

③ 대학 축제에 대한 반응을 알려 주려고

④ 대학 축제에 출연하는 가수를 홍보하려고

기출 분석 상황 및 주제

27번 문제는 대화 속 화자의 의도를 파악하는 유형입니다. 단합 대회(60회), 육아 휴직(64회), 품귀 현상(91회), 대학 축제(96회) 등 일상적인 주제가 출제됩니다.

화자들은 대화 속에서 주로 다음 세 가지 목적을 드러냅니다.
- 어떤 상황이나 정책에 대한 걱정을 표현합니다.
- 어떤 문제나 현상에 대해 비판하거나 지적합니다.
- 다른 사람에게 어떤 행동을 제안하거나 조언합니다.

기출 분석 TIPS

- 화자의 목소리 톤(어조)과 '씁쓸하다', '걱정된다' 등의 감정을 나타내는 단어에 주의해야 합니다.
- 말하는 사람이 결국 무엇을 주장하고 싶은지 최종적인 의견을 파악해야 합니다.
- "왜 이런 말을 할까?" 스스로 질문하며 숨겨진 의도를 찾아야 합니다.

여기서 잠깐!

문법과 표현	의미	예문
–(으)ㄹ까 봐 (걱정되다, 우려하다, 염려되다)	주로 '(혹시) ~될까 봐'의 형태로 사용하고, 걱정하는 마음을 나타냄.	• 벌금을 낼까 봐 걱정돼요. • 네가 다칠까 봐 염려됐어.
–은/는 솜 아니지 않아요?	상대방의 생각이나 현재 상황에 대해 부정적인 의견이나 지적을 부드럽게 이야기함.	• 매년 학교 축제를 공연 위주로 하는 건 좀 아니지 않아요?
씁쓸하다, 아쉽다.	기대했던 것과 다른 상황이나 마음에 들지 않은 상황에 대해 서운한 감정이나 실망감을 표현함.	• 관심이 공연에만 집중되는 것 같아서 좀 씁쓸해.
–(으)면 안 되다.	무엇을 해서는 안 된다고 강하게 말함.	• 규칙을 어기면 안 돼요.
–아/어야 하다.	무엇을 반드시 해야 한다고 강조함.	• 환경을 보호하기 위해 노력해야 해요.
–는 게 좋겠다.	상대방에게 조언하거나 제안함.	• 새로운 방법을 찾는 게 좋겠어요.

연습 문제

정답 및 해설 p.131

※ 본 교재의 오디오 파일은 실제 시험보다 약간 빠르게 제작되었습니다.
이 속도에 맞춰 연습하시면 실제 시험장에서 한결 여유 있게 청취하실 수 있습니다.

※ [1~2] 다음을 듣고 물음에 답하십시오.

1. 남자가 말하는 의도로 알맞은 것을 고르십시오.

① 새로운 쓰레기 정책을 설명하려고
② 환경 보호의 중요성을 강조하려고
③ 새 정책의 불편함과 문제점을 말하려고
④ 새로운 정책에 대한 해결 방법을 제안하려고

2. 여자가 말하는 의도로 알맞은 것을 고르십시오.

① 언어 학습의 중요성을 강조하려고
② 새로운 통역 앱의 장점을 설명하려고
③ 스마트폰 앱의 개발 과정을 소개하려고
④ 통역 앱에 대한 지나친 의존을 지적하려고

<단어>

• 벌금(罰金 / tiền phạt) :
규칙이나 법을 어겼을 때 벌
로 내게 하는 돈.

• 통역(口译 / thông dịch) :
서로 다른 나라 말을 사용하
는 사람들 사이에서 뜻이 통
하도록 말을 옮겨 줌.

• 의존하다(依赖 / lệ thuộc
vào) : 어떠한 일을 자신의 힘
으로 하지 못하고 다른 어떤
것의 도움을 받아 의지하다.

• 유용하다(有用 / hữu dụng) :
쓸모가 있다.

② 이전의 대화 내용 파악하기

기출문제 　2024년 96회 TOPIK Ⅱ 39번

※ 이 대화 전의 내용으로 가장 알맞은 것을 고르십시오.

① 보호자 없이 생활하고 있는 청소년의 수가 감소했다.
② 청년의 주거 마련을 위한 정부의 경제적 지원이 줄었다.
③ 청소년의 심리를 상담할 수 있는 전문가를 충원하고 있다.
④ 보호자가 없는 청소년이 보육원에서 지낼 수 있는 기간이 연장됐다.

단어

- **보육원**(保育院 / trại trẻ mồ côi) : 부모나 돌봐 주는 사람이 없는 아이들을 받아들여서 기르고 가르치는 곳.
- **보조하다**(補助 / bổ trợ) : 모자라는 것을 보태어 돕다.
- **전담 인력**(专职人员 / nhân viên chuyên trách) : 전문적으로 맡거나 혼자 맡아 하는 사람.
- **정착금**(安置支持基金 / Quỹ hỗ trợ định cư) : 일정한 곳에 자리를 잡아 머물러 살기 위해 지원하는 돈.

정답 ④

해설

여자 : 그럼 본인이 희망하면 성인이 된 후에도 보육원에서 지낼 수 있게 된 거네요. 보육원 퇴소 시기가 만 18세에서 24세까지로 늦춰진 거죠?

남자 : 네. 그뿐만 아니라 정부에서는 사업비 규모를 늘려 보육원에서 나온 청년이 자립을 하는 데에 필요한 지원을 확대하고 있는데요. 올해부터 매달 주는 자립 수당을 50만 원으로 올렸고, 의료비도 일부 보조합니다. 또한 가족 담당 부서에 심리 상담이 가능한 전담 인력도 보충해 상담 서비스를 지원하고 있고요. 전국 17개 시, 도에서는 1,000만 원 이상의 자립 정착금도 지급하고 있습니다.

① 보호자 없이 생활하고 있는 청소년의 수가 감소했다.

② 청년의 주거 마련을 위한 정부의 경제적 지원이 줄었다.

③ 청소년의 심리를 상담할 수 있는 전문가를 충원하고 있다.

④ 보호자가 없는 청소년이 보육원에서 지낼 수 있는 기간이 연장됐다. ♥
　─ 대화 초반의 질문을 통해, 이전 대화 내용이 보육원에서 지낼 수 있는 기간의 연장에 관한 것이었음을 알 수 있습니다.

기출 분석 　상황 및 주제

39번 문제는 현재 대화를 통해 이전에 논의된 내용을 파악하는 문제입니다. 곡 사용료(60회), 문화재 환수(64회), 인공위성(91회), 보육원 퇴소(96회)와 같은 사회적 이슈나 개인적인 상황이 주로 출제됩니다.

이 유형에서 대화는 주로 다음과 같은 방식으로 진행되므로, 대화의 시작 부분에 집중해야 합니다.
- 정책 및 제도 안내 : 새로운 정책이나 제도의 도입, 변경 사항에 대해 확인하거나 설명하는 경우
- 정보의 수정 및 보완 : 이전에 논의되었던 정보 중 수정이 피룡하거나 추가해야 할 사항에 대해 이야기하는 경우
- 과거 상황 확인: 이미 발생했던 사건이나 상황에 대해 질문하고 사실 관계를 확인하는 경우

기출 분석 　TIPS

- 대화 시작 부분, 즉 첫 번째 말에 집중해야 합니다. 특히 질문이나 확인하는 문장이 중요한 힌트입니다.
- "그럼 ~ 한 거죠?", "~라는 이야기죠?"와 같은 표현이 나오면 이전 대화 내용일 가능성이 높습니다.
- 답하는 사람의 말을 통해 이전 대화 내용이 사실인지, 어떻게 변경되었는지를 확인해야 합니다.

여기서 잠깐!

문법과 표현	의미	예문
-(으)ㄴ/는 거죠? -나요?	이전의 정보나 사실을 확인하거나 질문함.	• 새로운 정책이 확정된 거죠? • 언제 결정됐나요?
-다고/라고 들었어요.	다른 사람에게서 어떤 소식을 듣고 다시 확인하거나 물어봄.	• 행사 일정이 변경됐다고 들었어요.
-기로 하다.	어떤 일에 대해 서로 동의하거나 결정을 내린 상태를 이야기함.	• 점심시간을 연장하기로 했어요.

연습 문제

정답 및 해설 p.132

> ※ 본 교재의 오디오 파일은 실제 시험보다 약간 빠르게 제작되었습니다.
> 이 속도에 맞춰 연습하시면 실제 시험장에서 한결 여유 있게 청취하실 수 있습니다.

※ [1~2] 다음을 듣고 물음에 답하십시오.

1. 이 대화 전의 내용으로 가장 알맞은 것을 고르십시오.

① 지역 주민들의 유적지 개발 사업 참여 방안이 논의되었다.

② 역사 유적지 보존 및 활용에 대한 최종 결정이 발표되었다.

③ 지난 개발 계획 추진 과정에서 발생한 문제점이 보고되었다.

④ 새로운 역사 공원 조성을 위한 시민 투표 결과가 공개되었다.

2. 이 대화 전의 내용으로 가장 알맞은 것을 고르십시오.

① 새로운 교육 기술 도입의 성공 사례가 소개되었다.

② 미래 인재 양성을 위한 교육 정책 토론회가 개최되었다.

③ 교육의 디지털 전환을 위한 인공 지능 교육 계획이 발표되었다.

④ 인공 지능 활용 교육에 대한 교사들의 설문 조사가 실시되었다.

단어

- **유적지**(遺址 / di tích) : 역사적 유물이나 유적이 있는 곳.
- **대책**(对策 / biện pháp đối phó) : 어려운 상황을 이겨 낼 수 있는 계획.
- **보존하다**(保存 / bảo tồn) : 중요한 것을 잘 보호하여 그대로 남기다.
- **확보하다**(确保 / đảm bảo) : 확실히 가지고 있다.
- **디지털 전환**(数字转型 / chuyển đổi số) : 아날로그 방식을 디지털 기술로 바꾸어 업무나 생활의 혁신을 꾀하는 것.
- **가속화하다**(加速 / tăng tốc) : 속도를 더욱 빨라지게 하다.
- **맞춤형**(定制 / cá nhân hóa) : 개인의 필요나 요구에 맞게 특별히 만든 유형.
- **몰입도**(沉浸度 / mức độ đắm chìm) : 다른 일에 관심을 가지지 않고 한 가지 일에만 집중하여 깊이 빠지는 정도.

실전 모의고사

제1회 실전 모의고사

제2회 실전 모의고사

실전 모의고사

제1회 실전 모의고사

정답 및 해설 p.133

🎧 모의고사 1회

※ 본 교재의 오디오 파일은 실제 시험보다 약간 빠르게 제작되었습니다.
　이 속도에 맞춰 연습하시면 실제 시험장에서 한결 여유 있게 청취하실 수 있습니다.

※ [1~3] 다음을 듣고 가장 알맞은 그림 또는 그래프를 고르십시오. (각 2점)

1. ①

② 

③ 
④ 

2. ①
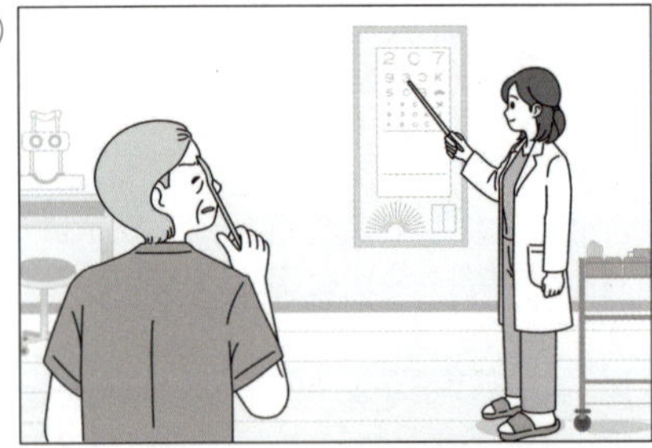
② 

③ 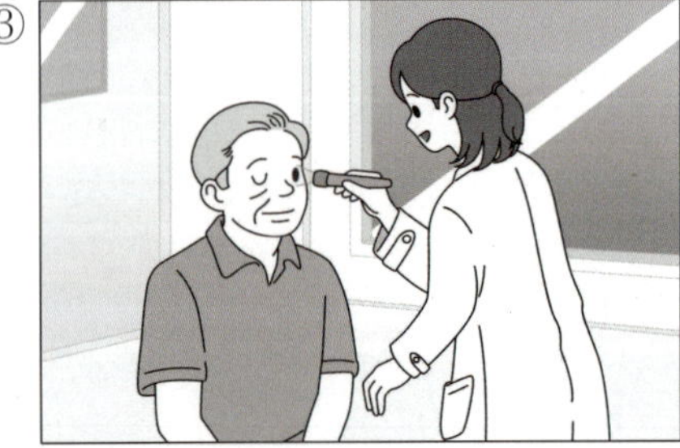
④ 

3. ① 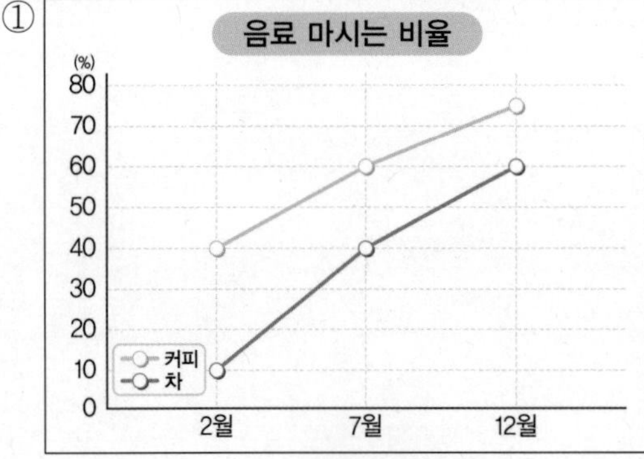

② 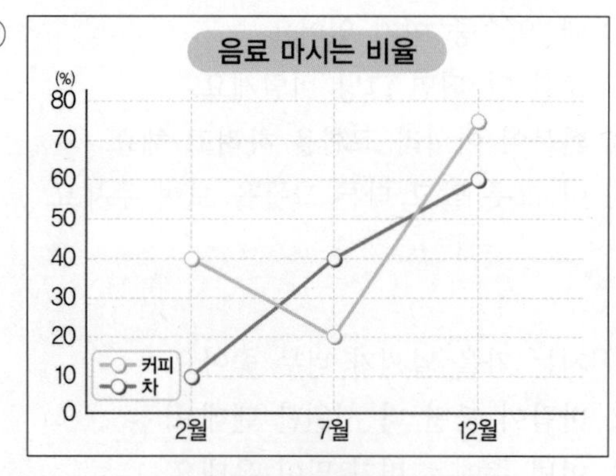

③ 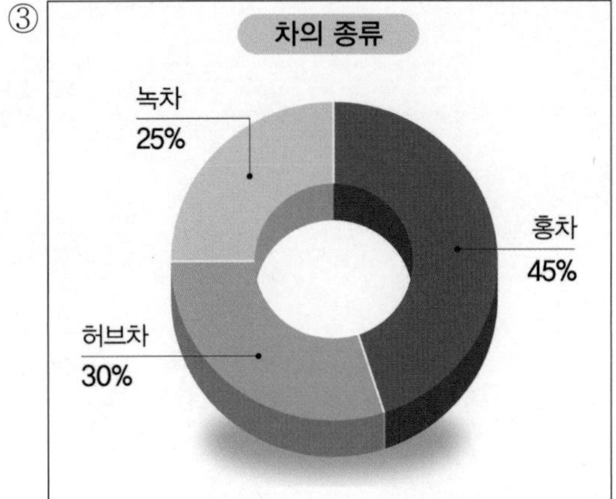

④

※ [4~8] 다음을 듣고 이어질 수 있는 말로 가장 알맞은 것을 고르십시오. (각 2점)

4. ① 네. 검사를 마치면 타시면 돼요.
   ② 네. 타이어 말고 와이퍼를 바꾸세요.
   ③ 네. 위험하면 차를 새로 사시더라고요.
   ④ 네. 비가 올 때 미끄러질 수 있으니까 교체하세요.

5. ① 그럼 3개월로 등록할게요.
   ② 헬스장 이용료가 좀 비싸네요.
   ③ 할인되니까 다음에 등록할게요.
   ④ 헬스장에서 운동하는 걸 좋아해요.

6. ① 네. 영수증 여기 있어요.
② 교환 안 되면 그냥 버릴게요.
③ 환불이 아니라 교환을 하려고 해요.
④ 이 그릇 말고 다른 그릇을 보여 주세요.

7. ① 저는 가을 날씨가 너무 좋아요.
② 바람이 불면 더 시원할 텐데요.
③ 이번 주에는 비가 많이 온대요.
④ 비까지 오면 더 위험할 것 같아요.

8. ① 요금은 지금 그대로 둘게요.
② 휴대폰 색깔도 바꿀 수 있나요?
③ 어떤 요금제가 있는지 알려 주세요.
④ 와이파이 비밀번호 좀 바꿔 주세요.

※ **[9~12] 다음을 듣고 <u>여자</u>가 이어서 할 행동으로 가장 알맞은 것을 고르십시오. (각 2점)**

9. ① 집에 들어간다.　　　② 밖으로 나간다.
③ 택시를 부른다.　　　④ 친구에게 전화한다.

10. ① 택배비를 결제한다.　　　② 직원에게 상자를 맡긴다.
③ 상자를 집으로 가져간다.　　　④ 주소 적는 종이를 가지러 간다.

11. ① 채소 칸을 열어 본다.　　　② 채소를 배달로 주문한다.
③ 마트에 과일을 사러 간다.　　　④ 냉장고에서 치즈를 꺼낸다.

12. ① 참가자 명단을 만든다.　　　② 모임 장소를 알아본다.
③ 동호회 활동비를 낸다.　　　④ 모임 시간을 공지한다.

※ [13~16] 다음을 듣고 들은 내용과 같은 것을 고르십시오. (각 2점)

13. ① 남자는 새 휴대폰을 구매했다.
② 여자는 여행을 갈 계획이 없다.
③ 남자는 여자에게 사진을 찍어 달라고 한다.
④ 여자는 새 휴대폰의 기능에 만족하고 있다.

14. ① 새로운 특별전이 다음 주에 시작된다.
② 특별전은 이번 주 금요일까지 관람할 수 있다.
③ 다음 주 월요일은 공휴일이므로 문을 열지 않는다.
④ 특별전은 마지막 날을 제외하고 매일 저녁 9시까지 운영된다.

15. ① 사고는 저녁 시간에 발생했다.
② 사고의 원인은 이미 밝혀졌다.
③ 버스와 택시가 서로 부딪친 사고였다.
④ 사고 현장의 길은 이제 막히지 않는다.

16. ① 여자는 재료를 섞는 데에 주로 힘을 쓴다.
② 여자의 직업은 사람들에게 잘 알려져 있다.
③ 여자는 유행하는 향을 분석해 제품을 만든다.
④ 여자는 고객의 이야기로 세상에 하나뿐인 향수를 만든다.

※ [17~20] 다음을 듣고 <u>남자</u>의 중심 생각으로 가장 알맞은 것을 고르십시오. (각 2점)

17. ① 운동은 꾸준히 하는 것이 좋다.
② 한 번에 많이 운동해야 효과가 크다.
③ 몸이 힘들면 운동은 쉬는 것이 좋다.
④ 다이어트에는 운동보다 먹는 것이 중요하다.

18. ① 일을 시작하기 전에 계획을 세워야 한다.
② 해야 할 일이 많을 때는 잠시 쉬는 것이 좋다.
③ 할 일이 남아 있으면 쉬어도 마음이 편하지 않다.
④ 힘든 일을 할 때는 주변의 도움을 받는 것이 중요하다.

19. ① 여행은 계획 없이 떠나는 것이 진정한 재미이다.
② 낯선 곳으로 여행할 때는 안전과 계획이 중요하다.
③ 새로운 여행지를 많이 방문하여 경험을 늘려야 한다.
④ 예측하지 못한 상황에서 여행의 즐거움을 찾을 수 있다.

20. ① 환경 보호는 정부의 노력이 가장 중요하다.
② 개인의 노력만으로는 환경 문제를 해결하기 어렵다.
③ 대중교통을 이용하는 것이 환경을 지키는 데 가장 좋다.
④ 환경 보호는 대단한 일보다 생활 속 작은 행동에서 시작된다.

※ [21~22] 다음을 듣고 물음에 답하십시오. (각 2점)

21. 남자의 중심 생각으로 가장 알맞은 것을 고르십시오.

① 회사에 1인용 공간을 도입할 필요가 있다.
② 1인용 공간을 만들면 업무의 효율이 낮아질 것이다.
③ 회사는 새롭게 공간을 배치하기보다 기존 공간을 활용하면 좋다.
④ 사람과 어울리기 싫어하는 사람들은 회사 생활에 적응하기 어렵다.

22. 들은 내용과 같은 것을 고르십시오.

① 이 회사는 1인용 공간을 만들고 있다.
② 남자는 사람들의 눈치를 보지 않는 성격이다.
③ 혼자만의 시간이 있으면 업무의 효율이 올라간다.
④ 회사는 휴식 공간을 늘리기 위해 새로운 건물을 짓기로 했다.

※ [23~24] 다음을 듣고 물음에 답하십시오. (각 2점)

23. 여자가 무엇을 하고 있는지 고르십시오.

① 연회비를 환불하고 있다.
② 연체된 금액을 안내하고 있다.
③ 새로운 카드의 혜택을 설명하고 있다.
④ 고객의 카드 지출 내용을 확인하고 있다.

24. 들은 내용과 같은 것을 고르십시오.

① 새 카드에는 영화 할인 혜택이 있다.
② 새 카드의 연회비는 기존보다 저렴하다.
③ 혜택을 받으려면 별도의 신청이 필요하다.
④ 고객은 안내문을 이메일로 받고 싶어 한다.

※ [25~26] 다음을 듣고 물음에 답하십시오. (각 2점)

25. 남자의 중심 생각으로 가장 알맞은 것을 고르십시오.

① 예술 수업은 전문가 중심으로 되는 경우가 많았다.
② 이 센터는 작은 재능 기부 모임에서 시작해 점차 확대되었다.
③ 다양한 수업을 제공하기 위해 유료 프로그램 도입이 필요하다.
④ 아이들의 실력 향상을 위해 재능 기부 프로그램을 더 늘려야 한다.

26. 들은 내용과 같은 것을 고르십시오.

① 이 센터는 성인을 대상으로 미술 교육을 한다.
② 봉사자들은 부담스러운 상황에서도 재능을 기부한다.
③ 아이들은 센터에서 예술 활동을 배우며 자신감을 얻는다.
④ 이 센터는 처음부터 예술 전문가들이 중심이 되어 운영되었다.

※ [27~28] 다음을 듣고 물음에 답하십시오. (각 2점)

27. 남자가 말하는 의도로 알맞은 것을 고르십시오.

① 환경 보호의 중요성을 일깨우려고
② 아이를 숲 유치원에 입학시키려고
③ 일반 유치원의 장점을 설명하려고
④ 유치원 교육의 문제점을 지적하려고

28. 들은 내용과 같은 것을 고르십시오.

① 아이는 숲 유치원에 다니고 있다.
② 여자는 초등학교 진학 준비에 대해 걱정하지 않는다.
③ 일반 유치원보다 숲 유치원은 뛰어노는 시간이 많다.
④ 여자는 자연 속에서 시간을 보내는 유치원을 선호한다.

※ [29~30] 다음을 듣고 물음에 답하십시오. (각 2점)

29. 여자가 누구인지 고르십시오.

① 이삿짐을 옮겨 주는 사람
② 집 공간의 구조를 설계하는 사람
③ 청소 관련 도구를 판매하는 사람
④ 공간을 정리하는 일을 하는 사람

30. 들은 내용과 같은 것을 고르십시오.

① 남자는 이 서비스에 대해 처음 들었다.
② 이 서비스는 아이가 있는 집에 인기가 많다.
③ 이 서비스를 이용한 뒤에는 유지하기 어렵다.
④ 이 서비스는 생활 방식 분석을 포함하지 않는다.

※ [31~32] 다음을 듣고 물음에 답하십시오. (각 2점)

31. 남자의 중심 생각으로 가장 알맞은 것을 고르십시오.

① 폭력을 가하는 학생을 강하게 처벌해야 한다.
② 학교 폭력에 대한 사회적 인식의 개선이 필요하다.
③ 학부모의 책임을 강화해야 학교 폭력이 줄어들 수 있다.
④ 처벌보다 인성 교육과 상담이 학교 폭력 예방에 더 효과적이다.

32. 남자의 태도로 가장 알맞은 것을 고르십시오.

① 처벌 중심의 의견에 반대하고 있다.
② 학교 폭력으로 인한 문제를 염려하고 있다.
③ 교육과 상담의 필요성에 대해 의심하고 있다.
④ 상대가 제시한 문제 해결 방안에 공감하고 있다.

※ [33~34] 다음을 듣고 물음에 답하십시오. (각 2점)

33. 무엇에 대한 내용인지 알맞은 것을 고르십시오.

① 요리 재료 손질 방법
② 밀 키트 판매량이 증가한 원인
③ 간편 조리식의 영양 성분 비교
④ 새로운 요리 기술의 등장 배경

34. 들은 내용과 같은 것을 고르십시오.

① 밀 키트는 처음부터 맛과 품질이 안정적이었다.
② 밀 키트는 주로 요리사들이 사용하는 제품이다.
③ 밀 키트는 시간이 지나면서 판매량이 감소하고 있다.
④ 신선도 유지 기술 발전은 밀 키트의 품질 향상에 도움이 되었다.

※ [35~36] 다음을 듣고 물음에 답하십시오. (각 2점)

35. 남자가 무엇을 하고 있는지 고르십시오.

① 작가의 어린 시절을 설명하고 있다.
② 작가의 대표 작품을 알려 주고 있다.
③ 작가의 생애와 업적을 소개하고 있다.
④ 작가의 작품을 읽어 보기를 권하고 있다.

36. 들은 내용과 같은 것을 고르십시오.

① 이 작가는 여행 에세이로 유명해졌다.
② 삶과 죽음을 다룬 작품을 발표한 적이 있다.
③ 이 작가는 생애 중반에 글쓰기를 그만두었다.
④ 대부분의 작품이 청소년 독자를 위한 것이다.

※ [37~38] 다음을 듣고 물음에 답하십시오. (각 2점)

37. 여자의 중심 생각으로 가장 알맞은 것을 고르십시오.

① 고혈압은 유전적 원인이 가장 크다.
② 젊은 층은 고혈압을 걱정할 필요가 없다.
③ 염분을 많이 섭취하면 비만이 되기 쉽다.
④ 염분 섭취를 줄이는 것이 혈압 관리에 중요하다.

38. 들은 내용과 같은 것을 고르십시오.

① 짠 음식은 과식을 막을 수 있다.
② 가공식품에는 많은 염분이 들어 있다.
③ 염분 섭취는 혈관 건강에 도움이 된다.
④ 젊은 층의 고혈압은 감소하는 추세이다.

※ [39~40] 다음을 듣고 물음에 답하십시오. (각 2점)

39. 이 대화 전의 내용으로 가장 알맞은 것을 고르십시오.

① 최근 지진 발생 빈도와 피해 규모가 커지고 있다.
② 건축 재료 가격 인상으로 공사비 부담이 증가했다.
③ 해외 유명 건축가들의 친환경 건물 디자인을 소개했다.
④ 공사 중 발생하는 소음을 줄이는 방안에 대해 논의했다.

40. 들은 내용과 같은 것을 고르십시오.

① 내진 설계는 2000년 이후 처음 도입되었다.
② 기존 건물에는 내진 기술 적용이 불가능하다.
③ 지질 구조가 달라 기술을 똑같이 적용하기 어렵다.
④ 진동을 흡수하는 장치에 대한 최근 연구는 줄어들고 있다.

※ [41~42] 다음을 듣고 물음에 답하십시오. (각 2점)

41. 이 강연의 중심 내용으로 가장 알맞은 것을 고르십시오.

① 고려청자에 나타난 무늬의 의미
② 고려청자 제작에 쓰인 흙의 종류
③ 고려청자 보존과 유지를 위한 정부의 노력
④ 고려청자의 아름다움과 그 제작 기술의 가치

42. 들은 내용과 같은 것을 고르십시오.

① 고려청자의 아름다운 색은 우연히 얻어졌다.
② 고려청자 제작 기술은 고려 시대 초기부터 꾸준히 발전했다.
③ 고려청자 무늬의 기법은 별다른 연구 없이 초기부터 확립되었다.
④ 고려청자는 불을 사용하지 않고 자연 건조 방식으로 만들어졌다.

※ [43~44] 다음을 듣고 물음에 답하십시오. (각 2점)

43. 무엇에 대한 내용인지 알맞은 것을 고르십시오.

① 하늘을 관측하는 과학 실험 방법
② 길에서 발생하는 집단의 위험 행동
③ 사람들이 선택한 베스트셀러 책 목록
④ 집단의 행동이 개인에게 미치는 영향

44. 참가자들이 하늘을 바라본 이유로 맞는 것을 고르십시오.

① 옆 사람이 날씨 변화를 궁금해했기 때문에
② 하늘에서 규모가 큰 무리를 발견했기 때문에
③ 주변 사람들의 행동에 영향을 받았기 때문에
④ 실험자의 안내를 따르도록 요청받았기 때문에

※ [45~46] 다음을 듣고 물음에 답하십시오. (각 2점)

45. 들은 내용과 같은 것을 고르십시오.

① 베이스 기타는 소리의 높낮이가 기타와 비슷하다.
② 베이스 기타는 주로 화려한 멜로디를 강조하는 역할을 한다.
③ 일렉트릭 베이스 기타의 등장으로 밴드 음악이 더욱 풍성해졌다.
④ 드럼이 없어도 베이스 기타 혼자 밴드 음악의 심장이 될 수 있다.

46. 여자가 말하는 방식으로 알맞은 것을 고르십시오.

① 어떤 현상에 대한 원인과 결과를 분석하고 있다.
② 대상의 특징과 역할을 설명하며 가치를 부각하고 있다.
③ 과거와 현재를 비교하여 변화된 모습을 보여 주고 있다.
④ 질문을 던지고 스스로 답하며 청자의 이해를 돕고 있다.

※ [47~48] 다음을 듣고 물음에 답하십시오. (각 2점)

47. 들은 내용과 같은 것을 고르십시오.

① 도시 숲은 주로 경관 개선을 목적으로 조성된다.
② 도시 숲은 환경 개선과 함께 시민들의 정신 건강에도 이롭다.
③ 도시 숲 조성을 위해서는 전문가의 연구가 무엇보다 중요하다.
④ 도시 숲은 일단 조성되면 별다른 관리 없이도 유지될 수 있다.

48. 남자의 태도로 알맞은 것을 고르십시오.

① 도시 숲 조성의 문제점을 지적하며 개선 방안을 제시한다.
② 도시 숲과 관련된 사회적 논쟁을 분석하며 해결책을 모색한다.
③ 도시 숲의 현황을 객관적으로 설명하며 미래 전망을 예측한다.
④ 도시 숲의 긍정적 가치를 강조하고 조성에 필요한 점을 제시한다.

※ [49~50] 다음을 듣고 물음에 답하십시오. (각 2점)

49. 들은 내용과 같은 것을 고르십시오.

① 과도한 디지털 기기 사용은 피로를 유발한다.
② 많은 사람들은 스마트폰을 손에서 쉽게 내려놓는다.
③ 디지털 디톡스는 새로운 정보를 탐색하는 활동을 의미한다.
④ 디지털 디톡스를 실천하는 방법은 스마트폰을 끄는 것뿐이다.

50. 남자가 말하는 방식으로 알맞은 것을 고르십시오.

① 문제에 대한 다양한 의견들을 비교하며 논지를 전개한다.
② 문제의 발생 원인을 분석하고 해결책의 중요성을 강조한다.
③ 새로운 과학적 발견을 소개하며 그 원리를 자세히 분석한다.
④ 대상에 대한 역사적 변화 과정을 설명하고 미래를 전망한다.

제2회 실전 모의고사

정답 및 해설 p.158

🎧 모의고사 2회

※ 본 교재의 오디오 파일은 실제 시험보다 약간 빠르게 제작되었습니다.
　이 속도에 맞춰 연습하시면 실제 시험장에서 한결 여유 있게 청취하실 수 있습니다.

※ [1~3] 다음을 듣고 가장 알맞은 그림 또는 그래프를 고르십시오. (각 2점)

1. ① 　② 

③ 　④ 

2. ① 　② 

③ 　④ 

3.

① 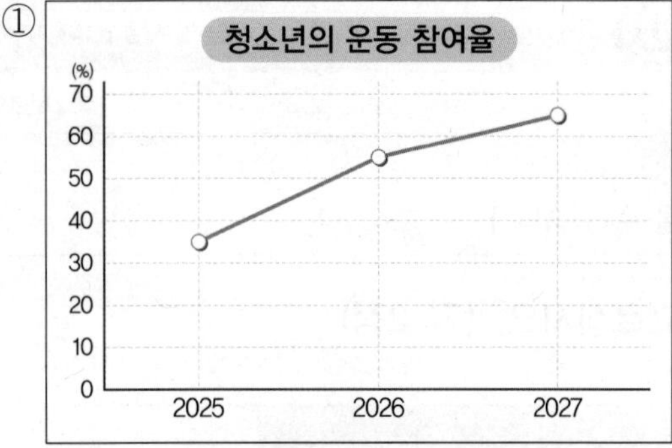

② 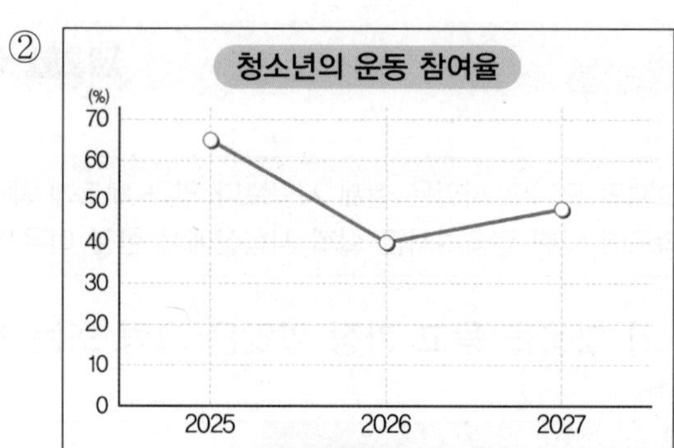

③ 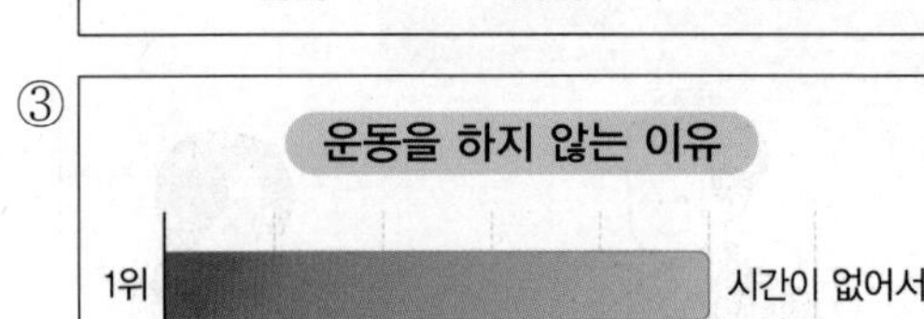

④ 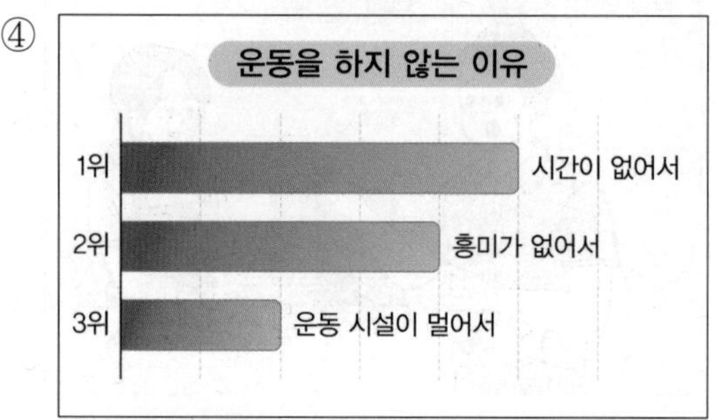

※ [4~8] 다음을 듣고 이어질 수 있는 말로 가장 알맞은 것을 고르십시오. (각 2점)

4.
① 그대로 시간만 맞춰서 데우면 되겠다.
② 그러면 이대로 차갑게 먹어도 괜찮겠다.
③ 나는 지금 배가 안 고프니까 안 먹어야겠다.
④ 그러면 이 피자는 다시 냉동실에 넣어야겠다.

5.
① 지금 바로 만들게요.
② 신분증이 필요 없을 줄 알았어요.
③ 저 말고 다른 사람이 대신 와도 돼요?
④ 계좌 번호를 가지고 있는데 말씀드릴까요?

6.
① 여기서 커피 한 잔 마실래?
② 저쪽 계단으로 가면 더 빨라.
③ 다음 지하철을 타는 게 좋겠어.
④ 지하철 말고 버스를 타지 그래?

7. ① 집에 물티슈는 아직 많아.
　② 휴지는 인터넷으로 사야 돼.
　③ 다음에는 휴지를 미리 사 두자.
　④ 요즘 물가가 정말 많이 올랐네.

8. ① 택배는 오후에 접수하겠습니다.
　② 상한 음식을 버리러 나가겠습니다.
　③ 오늘은 배달 음식을 시켜 먹을게요.
　④ 그럼 사진 찍어서 바로 보내 드릴게요.

※ [9~12] 다음을 듣고 <u>여자</u>가 이어서 할 행동으로 가장 알맞은 것을 고르십시오. (각 2점)

9. ① 주문을 확인한다.　　　　　② 문의 전화를 한다.
　③ 자리에 앉아 있는다.　　　④ 다른 카페로 이동한다.

10. ① 옷을 입어 본다.　　　　　② 영수증을 꺼낸다.
　③ 다른 옷을 고른다.　　　　④ 계산대로 가서 결제한다.

11. ① 병원을 나간다.　　　　　② 검사 일정을 변경한다.
　③ 먼저 의사와 상담한다.　　④ 겉옷을 보관함에 넣는다.

12. ① 보고서를 제출한다.　　　　② 팀장에게 전화한다.
　③ 금요일 회의에 참석하지 않는다.　④ 보고서에 경기 일정을 추가한다.

※ [13~16] 다음을 듣고 들은 내용과 같은 것을 고르십시오. (각 2점)

13. ① 여자와 남자는 함께 버스를 타고 왔다.
② 남자는 정류장을 찾느라 시간이 더 걸렸다.
③ 여자는 정류장이 옮겨진 걸 오늘 처음 들었다.
④ 남자는 새로운 정류장 위치를 미리 알고 있었다.

14. ① 벼룩시장은 12월 5일 금요일에 열린다.
② 물건 판매는 행사 날에도 신청할 수 있다.
③ 토요일에는 중앙 공원 주변으로 차를 가져올 수 있다.
④ 벼룩시장은 오전 10시부터 오후 3시까지 진행될 예정이다.

15. ① 행사는 하루 동안 진행되었다.
② 행사는 인주동 병원에서 열렸다.
③ 300여 명의 주민이 행사에 참여했다.
④ 주민들은 행사에 대해 불편함을 표현했다.

16. ① 여자는 동물이 안전하게 지내도록 돌본다.
② 여자는 특별한 전문 지식 없이 할 수 있는 일을 한다.
③ 여자는 동물이 사는 곳을 청소하는 데 많은 시간을 보낸다.
④ 여자는 동물에게 먹이를 주는 것을 가장 중요한 일이라고 생각한다.

※ [17~20] 다음을 듣고 <u>남자</u>의 중심 생각으로 가장 알맞은 것을 고르십시오. (각 2점)

17. ① 힘들 때는 밖에서 사 먹는 것이 좋다.
② 집에서 만든 밥이 몸과 마음에 더 좋다.
③ 저녁 식사는 간단히 먹는 것이 더 중요하다.
④ 간단하게 준비할 수 있는 음식 위주로 먹어야 한다.

18. ① 물가가 올라서 돈을 아껴 써야 한다.
② 가끔은 자신을 위한 소비도 필요하다.
③ 부담 없이 돈을 쓰는 것이 마음 편하다.
④ 미래를 위해 미리 준비하는 것이 중요하다.

19. ① 스마트폰은 자주 바꿀 필요가 없다.
② 최신 스마트폰은 디자인이 더 중요하다.
③ 새 스마트폰의 여러 가지 기능을 모두 잘 써야 한다.
④ 스마트폰은 가격보다 기능이 좋아야 한다고 생각한다.

20. ① 아이들에게 지식을 가르치는 것이 가장 중요하다.
② 아이들에게 정해진 답을 찾는 연습을 시켜야 한다.
③ 아이들이 스스로 생각하고 포기하지 않도록 해야 한다.
④ 아이들이 자기 생각을 자유롭게 말하는 수업을 해야 한다.

※ [21~22] 다음을 듣고 물음에 답하십시오. (각 2점)

21. 남자의 중심 생각으로 가장 알맞은 것을 고르십시오.

① 유물의 깊은 의미 전달에 집중해야 한다.
② 박물관은 유물을 쉽고 재미있게 알려야 한다.
③ 전시 기획은 젊은 층의 흥미를 고려해야 한다.
④ 유물 전시는 최신 기술로 볼거리를 제공해야 한다.

22. 들은 내용과 같은 것을 고르십시오.

① 여자는 유물 그 자체의 가치 전달을 우선한다.
② 남자는 유행을 따르는 전시가 좋다고 생각한다.
③ 여자는 전시가 젊은 사람들에게 매력적이라고 본다.
④ 남자는 재미있는 전시가 가치 전달에 방해될까 봐 우려한다.

※ [23~24] 다음을 듣고 물음에 답하십시오. (각 2점)

23. 남자가 무엇을 하고 있는지 고르십시오.

① 화장실 청소를 요청하고 있다.
② 화장실 이용 방법을 문의하고 있다.
③ 화장실 시설 고장을 신고하고 있다.
④ 화장실 불편 사항을 해결하고 있다.

24. 들은 내용과 같은 것을 고르십시오.

① 남자는 1층 화장실에 있다.
② 남자는 화장실의 문이 고장 났다고 했다.
③ 여자는 수리에 시간이 오래 걸린다고 답했다.
④ 여자는 바로 담당 직원을 보내겠다고 말했다.

※ [25~26] 다음을 듣고 물음에 답하십시오. (각 2점)

25. 남자의 중심 생각으로 가장 알맞은 것을 고르십시오.

① 김밥 축제는 지역 농산물을 적극 활용해야 한다.
② 젊은 세대의 참여 유도가 축제 성공의 가장 큰 비결이다.
③ 성공적인 축제를 위해서는 지역의 특징을 보여 주는 게 중요하다.
④ 축제는 돈을 버는 것보다 지역 이미지 향상에 초점을 맞춰야 한다.

26. 들은 내용과 같은 것을 고르십시오.

① 이 축제는 홍보를 거의 하지 않았다.
② 이 축제는 인주시의 농산물을 활용했다.
③ 젊은 세대의 참여는 생각만큼 많지 않았다.
④ 이 축제에서는 김밥을 판매하는 것이 가장 중요했다.

※ [27~28] 다음을 듣고 물음에 답하십시오. (각 2점)

27. 남자가 말하는 의도로 알맞은 것을 고르십시오.

① 환경 보호의 필요성을 설명하려고
② 종이 빨대 사용의 불편함에 대해 지적하려고
③ 플라스틱 빨대를 다시 사용하자고 주장하려고
④ 종이 빨대 사용이 사람들에게 익숙해졌음을 강조하려고

28. 들은 내용과 같은 것을 고르십시오.

① 여자는 종이 빨대가 전혀 불편하지 않다고 생각한다.
② 남자는 종이 빨대가 환경 보호에 큰 도움이 된다고 믿는다.
③ 남자는 사람들이 종이 빨대를 쓰는 것을 좋아한다고 말한다.
④ 여자는 쓰기 힘들어도 환경 보호에 같이 노력해야 한다고 본다.

※ [29~30] 다음을 듣고 물음에 답하십시오. (각 2점)

29. 남자가 누구인지 고르십시오.

① 뉴스를 전하는 사람
② 여행 정보를 소개하는 사람
③ 날씨를 미리 알려 주는 사람
④ 날씨의 변화를 연구하는 사람

30. 들은 내용과 같은 것을 고르십시오.

① 이번 주말은 날씨가 흐릴 것이다.
② 여자는 주말 날씨 때문에 걱정한다.
③ 남자는 자신의 일이 어렵다고 생각한다.
④ 이번 주말은 밖에서 활동하기 좋은 날씨다.

※ [31~32] 다음을 듣고 물음에 답하십시오. (각 2점)

31. 남자의 중심 생각으로 가장 알맞은 것을 고르십시오.

① 스마트폰을 교실에서 사용하지 못하게 해야 한다.
② 스마트폰을 교육 자료로 활용할 방법을 찾아야 한다.
③ 스마트폰 문제는 시간이 지나면 자연스럽게 해결된다.
④ 교실에서 스마트폰 사용에 대한 규칙을 마련할 필요가 있다.

32. 남자의 태도로 가장 알맞은 것을 고르십시오.

① 상대 의견에 적극적으로 동의하고 있다.
② 자신의 의견을 일관되게 주장하고 있다.
③ 문제 해결보다 불편함을 강조하고 있다.
④ 상대방 의견을 일부 인정하며 다른 주장을 하고 있다.

※ [33~34] 다음을 듣고 물음에 답하십시오. (각 2점)

33. 무엇에 대한 내용인지 알맞은 것을 고르십시오.

　① 소화기 보관 방법
　② 분말 소화기의 특징
　③ 소방 장비의 점검 절차
　④ 화재 발생의 원인과 종류

34. 들은 내용과 같은 것을 고르십시오.

　① 초기 분말 소화기는 분사력이 뛰어났다.
　② 분말 소화기는 전기 화재에도 사용할 수 있다.
　③ 최근에는 분말 소화기의 사용이 줄어들고 있다.
　④ 분말 소화기는 청소가 쉬워 공공 기관에서 선호한다.

※ [35~36] 다음을 듣고 물음에 답하십시오. (각 2점)

35. 남자가 무엇을 하고 있는지 고르십시오.

　① 도서관 이용 방법을 설명하고 있다.
　② 시민들에게 도서 기부를 부탁하고 있다.
　③ 도서관의 문제점을 지적하고 개선을 요구하고 있다.
　④ 도서관 재개관을 기념하며 소감과 기대를 밝히고 있다.

36. 들은 내용과 같은 것을 고르십시오.

　① 예산은 충분했지만 공사가 늦어졌다.
　② 이 도서관은 개관한 지 30년이 되지 않았다.
　③ 시민들의 관심과 후원이 도서관 재개관에 기여했다.
　④ 도서관에는 어린이 공간이 따로 마련되어 있지 않다.

※ [37~38] 다음을 듣고 물음에 답하십시오. (각 2점)

37. 여자의 중심 생각으로 가장 알맞은 것을 고르십시오.

① 카페인은 적절히 조절하여 섭취해야 한다.
② 카페인은 집중력을 유지하는 데 필수적이다.
③ 공복 상태에서는 카페인 음료를 마셔도 괜찮다.
④ 카페인 음료를 섭취하면 심장 박동이 빨라진다.

38. 들은 내용과 같은 것을 고르십시오.

① 카페인은 수면에 영향을 주지 않는다.
② 카페인을 많이 섭취하면 불안감이 줄어든다.
③ 카페인에 민감한 사람일수록 신체 반응은 더 크게 나타난다.
④ 업무에 도움이 되려면 카페인이 들어 있는 음료를 마셔야 한다.

※ [39~40] 다음을 듣고 물음에 답하십시오. (각 2점)

39. 이 대화 전의 내용으로 가장 알맞은 것을 고르십시오.

① 플라스틱 문제 해결에 대한 대중적 관심이 증가했다.
② 해양 플라스틱으로 인해 바다 환경에 문제가 발생하고 있다.
③ 플라스틱을 녹여 없애는 기술은 전 세계에서 널리 사용되고 있다.
④ 해양 플라스틱 문제는 대부분 자연적으로 해결된다고 설명하고 있다.

40. 들은 내용과 같은 것을 고르십시오.

① 국가마다 기준이 달라 기술 적용이 쉽지 않다.
② 미생물을 이용한 기술은 최근 논의가 시작되었다.
③ 해양 적용 실험은 아직 한 번도 이루어지지 않았다.
④ 플라스틱 문제 해결에 대한 경제적 지원이 확대되고 있다.

※ [41~42] 다음을 듣고 물음에 답하십시오. (각 2점)

41. 이 강연의 중심 내용으로 가장 알맞은 것을 고르십시오.

① 유전자 검사 인구 증가로 의료 비용이 크게 줄어들었다.
② 유전자 검사는 개인에게 맞춘 건강 관리에 도움이 된다.
③ 유전자 검사는 질병을 막을 수 있는 가장 확실한 방법이다.
④ 발병 확률을 예측하는 유전자 검사를 두려워하는 사람이 많다.

42. 들은 내용과 같은 것을 고르십시오.

① 유전자 정보는 약물에 어떻게 반응할지 알려 준다.
② 유전자 검사를 한 인구는 백만 명 정도에 불과하다.
③ 유전자 검사는 암과 관련된 정보를 제공하지 않는다.
④ 유전자를 분석하면 약물 부작용을 완전히 없앨 수 있다.

※ [43~44] 다음을 듣고 물음에 답하십시오. (각 2점)

43. 무엇에 대한 내용인지 알맞은 것을 고르십시오.

① 한지의 제작 재료와 성분 분석
② 한지가 가진 가치와 뛰어난 보존성
③ 한지 제작 과정에 숨겨진 과학적 원리
④ 한지 산업의 위기와 미래 발전 가능성

44. 한지의 특징으로 맞는 것을 고르십시오.

① 한지는 조상들의 지혜가 담긴 문화유산이다.
② 한지는 벌레 때문에 시간이 지나면 쉽게 손상된다.
③ 닥풀은 한지를 만드는 데 사용되는 유일한 재료이다.
④ 한지는 숙련된 장인의 손길 없이도 쉽게 만들 수 있는 종이이다.

※ [45~46] 다음을 듣고 물음에 답하십시오. (각 2점)

45. 들은 내용과 같은 것을 고르십시오.

① 낮에는 소리가 지면 쪽으로 내려온다.
② 소리는 기온이 낮을수록 빠르게 퍼진다.
③ 밤에는 소리가 지면 근처에서 더 잘 들린다.
④ 낮에는 공기 온도가 전체적으로 높게 유지된다.

46. 여자가 말하는 방식으로 알맞은 것을 고르십시오.

① 통계 발표를 근거로 문제점을 지적하고 있다.
② 속담을 인용하여 과학적 원리를 설명하고 있다.
③ 반대 의견에 대해 자신의 견해를 증명하고 있다.
④ 전문가의 의견을 근거로 소리의 성질을 분석하고 있다.

※ [47~48] 다음을 듣고 물음에 답하십시오. (각 2점)

47. 들은 내용과 같은 것을 고르십시오.

① 로봇세 정책은 자동화 산업을 활성화한다.
② 로봇세를 도입하면 소득 격차가 커질 수 있다.
③ 기업의 기술 혁신이 로봇세의 목적 중 하나이다.
④ 여러 나라에서 로봇세 도입 논의가 진행되고 있다.

48. 남자의 태도로 알맞은 것을 고르십시오.

① 로봇세 도입의 문제점을 지적하고 있다.
② 로봇세 도입의 필요성을 역설하고 있다.
③ 로봇세 도입을 위한 해결 과제를 제시하고 있다.
④ 로봇세 도입을 앞두고 부담과 불만을 토로하고 있다.

※ [49~50] 다음을 듣고 물음에 답하십시오. (각 2점)

49. 들은 내용과 같은 것을 고르십시오.

① 플랫폼은 사용자의 이용 기록을 수집한다.
② 이용 기록 기반의 추천 방식은 시간이 오래 걸린다.
③ 필터 버블은 새로운 정보 접근을 촉진하는 현상이다.
④ 같은 주제를 검색하면 모두 동일한 화면이 나타난다.

50. 남자가 말하는 방식으로 알맞은 것을 고르십시오.

① 선별된 정보의 정확성에 의문을 제기하고 있다.
② 필터 버블 현상의 해결책을 구체적으로 제시하고 있다.
③ 필터 버블의 가치에 대해 긍정적인 측면을 강조하고 있다.
④ 특정 정보만 반복해서 접할 때 나타나는 부작용을 설명하고 있다.

정답 및 해설

PART 1 전략 연습 문제 정답 및 해설

PART 2 실전 모의고사 정답 및 해설

1 대화의 상황과 어울리는 그림과 그래프 찾기

1 대화의 상황과 어울리는 그림 찾기

1. ③   2. ②   3. ①   4. ④

1. 정답 ③ ≫ p.23

> 남자 : 어서 오세요. 찾으시는 거 있으세요?
> 여자 : 지난주에 치마를 샀는데 다른 색으로 교환하고 싶어요.
> 남자 : 네. 영수증 주시면 확인해 드릴게요.

해설

남자는 영수증을 확인해 보겠다고 말했고, 여자는 지난주에 산 치마를 다른 색으로 교환하고 싶다고 했습니다. 따라서 계산대 앞에서 영수증과 치마를 함께 확인하며 바꾸는 절차를 진행하는 모습인 ③이 정답입니다. 

①은 여자가 치마를 입어 보고 싶은 모습인데, 대화에서는 '입어 보겠다', '입어 보려고 해요'라는 말이 나오지 않았기 때문에 정답이 아닙니다.
②는 여자가 전신 거울 앞에서 치마의 색깔이나 디자인을 살펴보는 장면입니다. 대화는 치마를 이미 산 후 바꾸는 것인데 이 장면은 치마를 사기 전의 모습이므로 정답이 아닙니다.
④는 여자가 이미 교환을 끝내고 가게를 나가는 장면입니다. 하지만 대화에서는 교환 절차가 막 시작되는 단계이므로 ④는 정답이 아닙니다.

2. 정답 ② ≫ p.23

> 남자 : 수잔 씨, 바로 수영하지 말고 같이 준비 운동부터 해요.
> 여자 : 네. 물속에 들어가기 전에 몸을 풀면 더 잘 헤엄칠 수 있죠.
> 남자 : 그래요. 스트레칭을 충분히 해야 다치지 않아요.

해설

'바로 수영하지 말고 같이 준비 운동부터', '물속에 들어가기 전에 몸을 풀면'을 통해 아직 물에 들어가기 전 단계에서 수영 전 준비 운동과 스트레칭을 하는 상황임을 알 수 있습니다. 따라서 수영장 옆에서 스트레칭하는 모습인 ②가 정답입니다.

①은 여자와 남자가 이미 물속에 들어가서 노는 장면입니다. '수영이 재미있다'처럼 물놀이를 즐기며 말할 수 있는 대화가 나와야 합니다.

③은 두 사람이 물에 들어가기 전에 이야기하는 장면입니다. 지문에서는 "스트레칭을 충분히 해야 다치지 않아요."라고 하며 스트레칭을 강조했기 때문에 단순히 입구에서 이야기만 하는 ③은 정답이 아닙니다.

④는 수영을 하다가 혹은 수영이 끝나고 쉬면서 물을 마시는 장면입니다. 몸을 푸는 것과 관련이 없으므로 정답이 아닙니다.

3. 정답 ①　　　　　　　　　　　　　　　　　　　　　　　　　　　　　≫ p.24

정답 및 해설

> 여자 : 저도 탈 수 있나요?
> 남자 : 아, 130cm 이상부터 탑승할 수 있는데 2cm가 부족하네요.
> 여자 : 네. 다음에 올게요.

해설

여자가 탑승 기준에 키가 모자라서 놀이기구를 탈 수 없는 상황입니다. 따라서 직원이 키를 재어 보고 128cm라서 탈 수 없다고 설명하는 장면인 ①이 정답입니다. 💡

②가 정답이 되려면 키 제한이 아니라 '여기서부터 130분 기다려야 한다'처럼 대기 시간 안내가 중심이 되어야 하는데, 대화에서는 대기 시간을 전혀 말하지 않았으므로 정답이 아닙니다.

③은 남자와 여자가 롤러코스터 앞을 지나고 있습니다. 놀이기구 앞에서 키를 재는 상황과는 맞지 않으므로 정답이 아닙니다.

④는 남자와 여자가 롤러코스터를 이미 타고 즐기고 있는 장면입니다. 오늘은 탈 수 없다는 상황이므로 ④는 정답이 아닙니다.

4. 정답 ④　　　　　　　　　　　　　　　　　　　　　　　　　　　　　≫ p.24

> 남자 : 오늘은 날씨가 좋아서 낚시하기 딱 좋네요.
> 여자 : 네. 고기가 많이 잡히면 좋겠어요.
> 남자 : 조심하세요. 배가 조금 흔들리네요.

해설

"낚시하기 딱 좋네요.", "배가 조금 흔들리네요."라는 말을 통해 배 위에서 낚시하고 있는 그림을 연상할 수 있습니다. 따라서 ④가 정답입니다. 💡

①이 정답이 되려면 배에 타 있다는 말이 아니라 강에서 낚시한다는 내용이 나와야 합니다. 지문에는 '배가 흔들린다'고 했으므로 ①은 정답이 아닙니다.

②가 정답이 되려면 사진을 찍는다는 언급이 있어야 합니다. 지문에서는 배 위에서 낚시를 한다고 했으므로 사진만 찍는 모습인 ②는 정답이 아닙니다.

③은 낚시가 끝난 뒤에 낚싯대를 정리하는 장면입니다. 배 위에 있지 않으므로 ③은 정답이 아닙니다.

2 대화의 상황과 어울리는 그래프 찾기

| 1. ① | 2. ① | 3. ③ | 4. ① |

1. 정답 ① ≫ p.29

> **남자** : 기차를 타고 여행하는 사람들이 점점 늘어나고 있습니다. 조사 결과 사람들이 기차를 이용하는 이유로
> 는 '빠르게 목적지에 도착할 수 있어서'가 가장 많았습니다. 그다음으로는 '바깥 풍경을 즐길 수 있어
> 서', '멀미가 없어서' 순으로 나타났습니다.

해설

**기차 이용객이 "점점 늘어나고 있습니다."라고 했으므로 이용객 수가 증가하는 형태의 그래프가 나와야 합니다. ①
은 3월 → 5월 → 7월 → 9월로 갈수록 이용객 수가 꾸준히 증가하고 있어서 지문의 내용과 일치합니다. 따라서
①이 정답입니다.**

②는 기차 이용객이 줄어들었다가 다시 증가하는 그래프입니다. 중간에 감소가 보이기 때문에 듣기 내용과 다르므로
정답이 아닙니다.

③은 기차를 이용하는 이유 중 가장 많은 것이 '바깥 풍경을 즐길 수 있어서(55%)'라고 했습니다. 그런데 지문에서는
1위가 '빠르게 목적지에 도착할 수 있어서'이므로 ③은 정답이 아닙니다.

④는 1위가 '빠르게 목적지에 도착할 수 있어서'로 일치하지만, 2위는 '멀미가 없어서'라고 했으므로 지문과 다릅니
다. 지문은 2위는 '바깥 풍경을 즐길 수 있어서'이고 3위는 '멀미가 없어서'라고 했기 때문에 정답이 아닙니다.

2. 정답 ① ≫ p.29

> **남자** : 직장인의 점심 식사 형태를 조사한 결과, 전체 직장인의 50%가 회사 내 식당을 이용하고 있었고, 외부
> 식당에서 먹는 사람은 35%, 도시락을 가져오는 사람은 10%로 나타났습니다. 직장인들이 회사 내 식당
> 을 선택한 이유는 '편리해서'가 가장 많았고, 그다음은 '가격이 저렴해서', '시간을 절약할 수 있어서'
> 순으로 조사되었습니다.

해설

점심 식사 형태 비율이 회사 내, 외부 식당, 도시락 순으로 나타나는 도표는 ①입니다.

②는 외부 식당이 50%로 제일 높게 그려져 있습니다. 지문은 직장인이 제일 많이 이용하는 것은 회사 안의 식당이라
고 했으므로 정답이 아닙니다.

③과 ④는 제일 높은 비율로 나타난 회사 내 식당을 선택한 이유에 대한 그래프입니다. 지문은 '편리해서', '가격이
저렴해서', '시간을 절약할 수 있어서' 순서라고 했는데 ③은 '가격이 저렴해서'가 가장 높게 나와 있으므로 정답이
아닙니다.

④는 편리함이 가장 높은 건 맞지만, 2위와 3위의 순서가 다르므로 정답이 아닙니다.

3. 정답 ③   ≫ p.30

> 남자 : 외국인 관광객이 한국을 방문했을 때 머무는 곳을 조사한 결과, 호텔을 이용하는 사람이 62%로 가장 많았고, 게스트 하우스가 25%, 친척 집이 10% 순이었습니다. 숙박 시설을 선택한 이유로는 '위치가 편리해서'가 가장 많았고, 그다음은 '깨끗해서', '가격이 합리적이어서' 순으로 나타났습니다.

해설

지문은 외국인 관광객이 숙박 시설의 형태와 선택한 이유를 설명하고 있습니다. 선택한 이유 1위는 '위치가 편리해서', 2위는 '깨끗해서', 3위는 '가격이 합리적이어서'라고 했으므로 ③이 정답입니다. 💡

①은 게스트 하우스의 비율이 가장 높게 그려졌으므로 정답이 아닙니다.
②는 친척 집의 비율이 가장 높게 그려졌으므로 정답이 아닙니다. 호텔의 비율이 가장 높은 그래프여야 됩니다.
④는 '한국 문화를 체험할 수 있어서'가 1위로 그려져 있습니다. 그러나 지문은 위치를 가장 큰 선택의 이유라고 했으므로 정답이 아닙니다.

4. 정답 ①   ≫ p.30

> 남자 : 혼자 밥을 먹는 사람의 수가 감소했다가 최근 다시 증가했습니다. 조사 결과, 하루에 한 끼 이상 혼자 먹는다고 대답한 사람은 전체의 60%로, 3년 전보다 약 15% 증가했습니다. 혼자 밥 먹기에 대한 생각을 보면, '편해서 좋다'가 55%로 가장 많았고, 그다음은 '가끔은 괜찮다'(30%), '외로워 보여서 싫다'(10%) 순으로 나타났습니다.

해설

지문은 혼자 밥을 먹는 사람의 수가 줄었다가 최근 다시 증가했다고 말했습니다. ①은 5년 전 → 3년 전으로 감소했다가 3년 전 → 현재 다시 증가하는 흐름을 보이므로 정답입니다. 💡

②는 사람의 수가 계속 증가하는 형태로 그려졌는데 지문은 줄었다가 다시 증가했다고 했기 때문에 정답이 아닙니다.
③은 혼자 밥 먹기에 대한 생각의 비율이 '외로워 보여서 싫다'가 가장 높은 비율로 표시되어 있습니다. 지문은 1위가 '편해서 좋다'라고 이야기했으므로 정답이 아닙니다.
④는 가장 높은 비율이 '가끔은 괜찮다'로 표시되어 있으므로 정답이 아닙니다.

2 이어지는 말이나 행동 고르기

1. ④ **2.** ④ **3.** ③ **4.** ② **5.** ② **6.** ③

---

1. [정답] ④ ≫ p.38

> 남자 : 새로 생긴 식당에 가 봤어요?
> 여자 : 네. 가 봤어요. 음식은 괜찮았는데 가격이 좀 비쌌어요.
> 남자 : <u>그럼 다음엔 다른 곳에 가요.</u>

[해설]

여자가 가격이 비싸다고 했으므로 ④가 가장 자연스럽고 흐름에 맞습니다. 따라서 ④가 정답입니다. 💡

여자가 음식은 괜찮았다고 말했기 때문에 "그럼 거기에 또 가요."라고 긍정적으로 말할 수도 있지만, 가격이 비싸다는 점을 고려하면 자연스럽지 않으므로 ①은 정답이 아닙니다.

여자가 "음식은 괜찮았는데 가격이 좀 비쌌어요."라고 말했기 때문에 남자가 가격이 오르겠다고 말하는 ②는 지문 내용과 관련이 없으므로 정답이 아닙니다.

가격이 비쌌다는 말을 듣고 음식이 싸졌겠다고 하는 ③은 맥락상 맞지 않으므로 정답이 아닙니다.

---

2. [정답] ④ ≫ p.38

> 남자 : 요즘 운동을 시작했어요?
> 여자 : 네. 아침마다 공원에서 조깅하고 있어요.
> 남자 : <u>대단하네요. 저도 같이 뛰어도 될까요?</u>

[해설]

여자가 아침마다 조깅을 한다고 했기 때문에 남자가 칭찬과 함께 같이 뛸 것을 제안하는 ④가 정답입니다. 💡

여자가 "아침마다 공원에서 조깅하고 있어요."라고 한 것은 늦잠과는 무관하므로 ①은 정답이 아닙니다.

헬스장이 아니라 공원이라고 말했기 때문에 ②는 정답이 아닙니다.

여자가 공원에서 운동한다고 했지만, 남자가 굳이 공기 이야기를 할 필요는 없으므로 ③은 정답이 아닙니다.

3. 정답 ③   ≫ p.38

> 남자 : 오늘 회의 자료 다 준비됐어요?
> 여자 : 네. 그런데 사무실 프린터가 고장이 나서 출력은 못 했어요.
> 남자 : 제 자리 프린터로 해 보세요.

해설

여자가 프린터가 고장 나서 출력만 못 했다고 했으므로 ③이 정답입니다.

여자가 "프린터가 고장 나서 출력은 못 했어요."라고 했기 때문에 남자가 종이를 사러 가자는 ①은 상황과 맞지 않으므로 정답이 아닙니다.

회의를 미루자는 ②는 지문에서 그런 필요성이 언급되지 않았기 때문에 정답이 아닙니다.

회의 준비를 더 열심히 하라는 ④는 지문 내용과 연결되지 않아서 정답이 아닙니다.

4. 정답 ②   ≫ p.38

> 남자 : 이 옷을 선물하고 싶은데 포장도 되나요?
> 여자 : 네. 가능합니다. 리본 색은 빨간색인데 괜찮으세요?
> 남자 : 좋아요. 그걸로 해 주세요. 카드로 결제할게요.
> 여자 : 네. 결제 먼저 하고 포장해 드리겠습니다.

해설

여자가 "결제 먼저 하고 포장해 드리겠습니다."라고 말했기 때문에 ②가 정답입니다.

남자가 선물로 사고 싶다고 말하며 "카드로 결제할게요."라고 이야기했기 때문에 남자가 옷을 고르는 단계는 이미 끝났으므로 ①은 정답이 아닙니다.

리본 색을 언급하긴 했지만 남자가 직접 리본을 만드는 상황은 아니므로 ③은 정답이 아닙니다.

포장을 요청한 것이지 옷을 반품하려는 상황은 아니기 때문에 ④는 정답이 아닙니다.

5. **정답** ② ≫ p.38

> **남자** : 지연아, 지난번에 빌려 간 수학 노트 다 봤어?
> **여자** : 응. 덕분에 시험 준비 잘했어.
> **남자** : 다행이다. 그럼 그 노트 오늘 다시 가져올 수 있어?
> **여자** : 아, 지금 교실 사물함에 있어. 지금 바로 가져와서 너한테 줄게.

［해설］

여자가 빌려 간 노트를 "지금 바로 가져와서 너한테 줄게."라고 했기 때문에 남자에게 노트를 다시 돌려주는 행동이 자연스러우므로 ②가 정답입니다. 💡

여자가 이미 노트를 다 봤다고 했기 때문에 다시 집에 가져갈 이유는 없으므로 ①은 정답이 아닙니다.
노트를 복사하거나 친구에게 주겠다는 말은 지문에 없으므로 ③은 정답이 아닙니다.
도서관 책이 아니라 개인 노트이기 때문에 ④는 정답이 아닙니다.

6. **정답** ③ ≫ p.38

> **여자** : 과장님, 이번 달 매출 보고서 검토 부탁드립니다.
> **남자** : 그래요. 수정할 부분은 메일로 알려 드릴게요.
> **여자** : 네. 메일을 보내 주시면 바로 수정해서 다시 올리겠습니다.
> **남자** : 알겠습니다. 그럼 금요일 오전까지 마무리해 주세요.

［해설］

남자가 메일로 보내면 여자가 바로 고쳐서 다시 올리겠다고 했기 때문에 다음 행동은 보고서를 수정하는 것이 적절하므로 ③이 정답입니다. 💡

남자가 "수정할 부분은 메일로 알려 드릴게요."라고 말했기 때문에 메일을 삭제하는 ①은 지문 내용과 맞지 않으므로 정답이 아닙니다.
여자가 보고서를 올린다고 했고, 남자가 수정할 부분을 알려 주겠다고 했기 때문에 보고서를 처음 작성하는 ②는 이미 끝난 행동이므로 정답이 아닙니다.
회의 일정 변경은 대화와 관련이 없으므로 ④는 정답이 아닙니다.

3-1 세부 내용 이해하기

1. ③ **2.** ④ **3.** ④ **4.** ③

---

1. **정답** ③ ≫ p.41

> **여자 :** 여보, 이번 주말에 어머님 댁에 갈 때 뭘 사갈까요? 지난달에는 당신이 과일을 사 갔으니까, 이번에는 다른 걸 사 갈까요?
>
> **남자 :** 음, 어머니께서 얼마 전에 허리가 안 좋다고 하셨으니까 편안한 방석을 하나 사 드릴까요?
>
> **여자 :** 좋은 생각이에요. 제가 미리 주문해 놓을게요.
>
> **남자 :** 고마워요. 그럼 대신 주문 좀 부탁할게요.

[해설]

두 사람이 서로 "여보"라고 부르며 어머니께 드릴 선물을 의논하고 있으므로 ③이 정답입니다. 💡

남자는 지난주가 아니라 지난달에 어머니 댁에 갔다고 했으므로 ①은 정답이 아닙니다.
여자가 아닌 남자 어머니의 허리가 불편하므로 ②는 정답이 아닙니다.
남자가 어머니를 만나러 가는 것을 좋아하지 않는지는 지문에 언급되지 않았으므로 ④는 정답이 아닙니다.

---

2. **정답** ④ ≫ p.41

> **여자 :** 첫 번째 소식입니다. 오는 11월 24일부터 전국의 모든 카페 매장 안에서 일회용품을 사용할 수 없게 됩니다. 다만 일회용 컵을 사용하려면 일정한 보증금을 내고 빌려 쓸 수 있습니다. 사용한 컵은 반납하면 냈던 보증금을 다시 돌려받을 수 있습니다. 정부는 이 정책이 환경을 지키는 데 도움이 될 것이라고 말했습니다.

[해설]

사용한 컵은 반납하면 냈던 보증금을 다시 돌려 받을 수 있다고 했으므로 ④가 정답입니다. 💡

전국의 모든 카페 매장 안에서 일회용품을 사용할 수 없게 된다고 했으므로 ①은 정답이 아닙니다.
일정한 보증금을 내고 일회용 컵을 빌려 쓸 수 있다고 했으므로 ②는 정답이 아닙니다.
오는 11월 24일부터 시행된다고 했으므로 ③은 정답이 아닙니다.

3. **정답** ④ >> p.41

> **남자** : 선생님께서는 옛날 지도를 주로 연구하신다고 들었습니다. 과거의 지도는 어떤 점이 흥미로운가요?
> **여자** : 네. 옛날 지도에는 단순히 지리 정보뿐 아니라 그 시대 사람들의 생각도 담겨 있어요. 예를 들어, 바다
> 를 괴물의 모습으로 그리기도 했고요. 지도를 통해 시대의 문화를 엿볼 수 있다는 점이 가장 매력적입
> 니다.

[해설]

지도를 통해 시대의 문화를 알 수 있다고 했으므로 ④가 정답입니다.

여자는 옛날 지도를 연구한다고 했으므로 ①은 정답이 아닙니다.
남자의 생각은 언급되지 않았으므로 ②는 정답이 아닙니다.
바다를 괴물 모습으로 그렸다고 했지, 실제로 살았다고 기록된 것은 아니므로 ③은 정답이 아닙니다.

4. **정답** ③ >> p.41

> **남자** : (딩동댕) 아파트 주민 여러분께 안내 말씀드립니다. 저희 인주아파트에서는 쾌적한 주거 환경 조성을
> 위해 이번 주 수요일 오전 10시부터 오후 2시까지 단지 전체의 소독 작업을 실시할 예정입니다. 해당
> 시간 동안은 창문을 모두 닫아 주시고, 안전의 이유로 놀이터 사용은 불가합니다. 주민 여러분의 적극
> 적인 협조를 부탁드립니다. 감사합니다. (댕동딩)

[해설]

오전 10시부터 오후 2시까지 소독이 진행된다고 했으므로 ③이 정답입니다.

소독은 이번 주 수요일에 진행되므로 ①은 정답이 아닙니다.
안전상의 이유로 놀이터 사용은 불가능하다고 했으므로 ②는 정답이 아닙니다.
소독 중에는 창문을 모두 닫아 달라고 했으므로 ④는 정답이 아닙니다.

3-2 세부 내용 이해하기

1. ③   2. ④   3. ②   4. ③

1. 정답 ③ ≫ p.45

> 여자 : 박사님, 요즘 디지털 시대에 기억력이 점점 나빠진다는 사람들이 많아요. 기억력을 좋게 하는 특별한 방법이 있을까요?
>
> 남자 : 네. 현대인은 너무 많은 정보에 노출되어 기억이 쉽게 혼란스러워질 수 있습니다. 기억력을 강화하려면 정보를 단순히 저장하기보다는, 새로운 정보를 기존 지식과 연결하고, 자신만의 방식으로 정리하는 연습이 중요합니다. 또한, 규칙적으로 운동하고 충분히 잠을 자는 것도 뇌를 활발하게 하여 기억력 향상에 큰 도움이 됩니다.

해설

기억력 저하가 너무 많은 정보에 노출되었기 때문이라고 언급했으므로 ③이 정답입니다.

규칙적인 운동과 수면은 기억력 향상에 도움이 된다고 했으므로 ①은 정답이 아닙니다.
기억력이 나빠진다는 사람들이 많다고 했으므로 ②는 정답이 아닙니다.
새로운 정보를 기존 지식과 연결하는 것이 중요하다고 했으므로 ④는 정답이 아닙니다.

2. 정답 ④ ≫ p.45

> 남자 : 이번 주말에 서울 국제 도서전이 열린대. 작년에 가서 보니까 여러 나라의 책도 많고, 작가들과 직접 이야기할 수 있는 행사도 있어서 좋았어. 올해도 작가와의 대화 시간이 다양하게 마련되었대.
>
> 여자 : 아, 나도 친구한테 그 이야기 들었어! 올해는 특히 독립 출판사들이 많이 참가한대. 작은 출판사들의 개성 있는 책들을 만날 기회가 많을 것 같아서 기대돼.
>
> 남자 : 응. 맞아. 그리고 어른들뿐만 아니라 어린이를 위한 특별 코너도 따로 마련돼서 가족 단위 방문객도 많을 거래. 아이들이 책과 가까워질 좋은 기회인 것 같아.

해설

어린이를 위한 특별 코너가 마련된다고 했으므로 ④가 정답입니다.

작가들과 이야기할 수 있는 행사가 있다고 했으므로 ①은 정답이 아닙니다.
남자는 작년에 도서전에 갔다고 했으므로 ②는 정답이 아닙니다.
독립 출판사들이 많이 참가한다고 했으므로 ③은 정답이 아닙니다.

3. **정답** ② ≫ p.45

> **여자** : 요즘 집이나 사무실에서 LED 전등을 많이 쓰던데요. 이 전등은 일반 전구랑 어떤 점이 다른 건가요?
> **남자** : 네. LED 전등은 빛을 만드는 방법이 일반 전구와 다릅니다. 이 전등의 가장 큰 장점은 전기를 아주 적게 쓴다는 것인데요. 같은 밝기라도 전기 요금을 훨씬 아낄 수 있죠. 그리고 한 번 설치하면 아주 오랫동안 쓸 수 있어서 자주 갈아 끼울 필요가 없습니다. 또, 열이 거의 나지 않아서 안전하게 사용할 수 있다는 점도 큰 장점입니다.

해설

LED 전등을 한 번 설치하면 아주 오랫동안 쓸 수 있다고 했으므로 ②가 정답입니다.

열이 거의 나지 않는다고 했으므로 ①은 정답이 아닙니다.
빛을 만드는 방법이 일반 전구와 다르다고 했으므로 ③은 정답이 아닙니다.
전기를 아주 적게 사용한다고 했으므로 ④는 정답이 아닙니다.

4. **정답** ③ ≫ p.45

> **남자** : 요즘 도시마다 걷기 좋은 길이 많이 생기는 건 좋은데, 꼭 도심 한가운데까지 차 없는 거리를 만들어야 할까? 상인들이 불만이 많다던데.
> **여자** : 물론 상인들에게는 잠시 불편할 수도 있겠지만, 장기적으로 보면 보행자가 많아져서 오히려 상권이 더 활발해질 수도 있다고 생각해. 무엇보다 시민들이 안전하게 걷고 여가를 즐길 수 있는 공간이 늘어나는 게 중요하지.
> **남자** : 안전과 여가도 중요하지만, 물건 배달이 어렵고 손님들이 불편함을 느껴서 오히려 가게 매출에 안 좋은 영향을 줄 수도 있어. 그래서 이런 정책은 좀 더 신중하게 결정해야 하는 문제인 것 같아.

해설

여자는 보행자가 많아져 상권이 활발해질 수 있다고 생각하므로 ③이 정답입니다.

남자는 차 없는 거리 확대에 대해 부정적인 입장이므로 ①은 정답이 아닙니다.
안전과 여가의 중요성을 언급한 화자는 여자입니다. 남자는 경제적 영향과 상인들의 현실적인 문제를 더 우선시하고 있으므로 ②는 정답이 아닙니다.
여자는 시민의 편의와 상권 활성화를 이유로 긍정적인 반응을 보이는 반면 남자는 상인의 피해를 이유로 부정적인 시각을 보이고 있습니다. 두 사람의 의견은 서로 대립하고 있으므로 ④는 정답이 아닙니다.

4-1 중심 생각 파악하기

1. ② **2.** ① **3.** ③ **4.** ③ **5.** ④

---

1. 정답 ② ≫ p.50

> 남자 : 주말에 마트에 가 보려고 해.
> 여자 : 마트? 온라인으로 주문하는 게 더 편하지 않아?
> 남자 : 그래도 상품을 직접 보고 고르는 게 더 믿음이 가잖아.

해설

남자는 온라인으로 사는 것보다 직접 보고 사는 것이 더 낫다고 했으므로 ②번이 정답입니다. ✔

①이 정답이 되려면 주말에는 집에서 쉬고 싶다거나, 마트에 가기 귀찮다는 내용이 나와야 합니다.
③이 정답이 되려면 온라인 쇼핑이 더 싸서 경제적이라는 말이 나와야 하는데, 남자는 오히려 온라인보다 마트를 선호하고 있습니다.
④가 정답이 되려면 마트 물건의 품질이 좋지 않다는 내용이 나와야 하는데, 품질 이야기는 없습니다.

---

2. 정답 ① ≫ p.50

> 남자 : 오늘 버스에서 노인을 못 본 척하는 사람들을 봤어요.
> 여자 : 네. 그런 사람들 있죠. 그런 사람들은 꼭 피곤하다고 변명하더라고요.
> 남자 : 그래도 기본적인 예의는 지켜야 하지 않을까요? 자리 양보는 서로를 위한 작은 배려라고 생각해요.

해설

'기본적인 예의, 자리 양보는 서로를 위한 작은 배려'라는 말을 통해 남자의 중심 생각은 서로를 배려하는 마음이라는 점을 알 수 있으므로 ①이 정답입니다. ✔

②가 정답이 되려면 피곤하면 앉아 있어도 괜찮다거나, 피곤한 사람은 양보를 안 해도 된다는 표현이 나와야 합니다. 오히려 남자는 그런 변명을 비판하고 있습니다.
③이 정답이 되려면 대중교통에서는 휴식을 취하는 것이 우선이라는 내용이 나와야 하는데, 남자는 예의와 배려를 더 중요하게 말하고 있습니다.
④가 정답이 되려면 노인을 보면 반드시 자리 양보를 해야 한다는 의무 표현이 중심이어야 하는데, 지문에서는 '작은 배려'와 '예의'를 강조하고 있습니다.

3. 정답 ③ ≫ p.50

> **남자** : 어제 회식에서 남긴 음식이 너무 많더라고요.
> **여자** : 그러게요. 다들 조금씩만 시키면 좋을 텐데요.
> **남자** : 맞아요. 음식은 필요한 만큼만 주문해야 낭비가 없어요.

해설

남자는 마지막에 음식은 필요한 만큼만 주문해야 낭비가 없다고 말했습니다. 따라서 ③번이 정답입니다. 💡

①이 정답이 되려면 남은 음식은 포장해서 가져가면 된다는 점을 해결책으로 말해야 합니다. 지문은 애초에 많이 시키지 말자는 점을 강조하고 있으므로 ①은 정답이 아닙니다.
지문은 회식을 즐겁게 하는 방법이나 분위기에 대한 이야기가 아니므로 ②는 정답이 아닙니다.
④가 정답이 되려면 여러 가지 음식을 조금씩 맛보는 게 좋다는 내용이 나와야 하는데, 오히려 '다들 조금씩만 시키면 좋겠다'고 하며 과한 주문을 비판하고 있습니다.

4. 정답 ③ ≫ p.50

> **여자** : 최근 혼자 사는 사람이 많아지면서 새로운 사회 변화가 생기고 있는데요. 어떤 활동을 하고 계신가요?
> **남자** : 저는 친구들과 함께 '공유 부엌'을 운영하고 있습니다. 혼자 사는 사람들은 요리를 하고 싶어도 공간이 좁거나 재료를 다 쓰지 못하잖아요. 그래서 함께 요리하고 음식을 나누는 공간을 만들었어요. 이곳에서 누구나 요리를 하거나 배우면서 친구를 사귈 수 있습니다. 특히 외국인 유학생들이 한국 음식을 배우며 교류하는 모습이 인상적이었어요. 요리를 통해 외로움도 줄이고, 공동체 의식도 키우는 것이 목표입니다. 결국, 작은 부엌이지만 사람들의 마음을 연결하는 공간이 되었으면 합니다.

해설

남자는 공유 부엌을 운영하면서 함께 요리하고 음식을 나누며 이를 통해 공동체 의식을 키우는 것이 목표라고 말했습니다. 즉, 혼자 사는 사람들이 모여 함께 요리하고 교류할 수 있는 공간의 필요성을 강조하고 있으므로 ③이 정답입니다. 💡

외국인 유학생 이야기는 나오지만, 그들에게 음식 교육을 해야 한다는 이야기는 없으므로 ①은 정답이 아닙니다.
공유 부엌은 누구나 와서 편하게 요리하고 나누는 곳이지, 전문 교육 기관은 아니므로 ②는 정답이 아닙니다.
지문은 집밥과 외식 비교를 하는 게 아니라 공유 부엌에서 함께 요리하고 교류하는 경험을 강조하고 있으므로 ④는 정답이 아닙니다.

5. 정답 ④   ≫ p.50

> **남자**: 도시의 낡은 골목에 벽화를 그리는 프로젝트에 참여하고 계신다고 들었어요. 어떤 프로젝트인지 간단히 소개해 주시겠습니까?
>
> **여자**: 네. 벽에 그림을 그려 마을을 아름답게 만드는 프로젝트입니다. 저는 지역 예술가들과 함께 벽화 그리기 봉사 활동을 하고 있습니다. 낡은 골목에 벽화를 그리고 나니 마을 분위기가 완전히 달라졌습니다. 사람들이 사진을 찍으러 오면서 마을이 활기를 띠게 되었고, 주민들이 함께 참여하며 서로 인사하게 된 것이 가장 큰 변화입니다. 아이들도 그림에 관심을 가지게 되어 주말마다 미술 교실을 열고 있습니다. 예술이 사람과 사람을 이어 주는 힘이 있다는 것을 느꼈습니다.

해설

여자는 낡은 골목에 벽화를 그리고 마을이 달라진 경험을 이야기하면서 예술이 사람과 사람을 이어 주는 힘이 있다는 것을 느꼈다고 했습니다. 예술이 사람들을 연결하고, 마을 분위기를 바꾸는 힘을 중심으로 말하고 있으므로 ④번이 정답입니다.

①이 정답이 되려면 벽화보다 조각 작품이 더 효과적이라는 비교가 나와야 하는데, 조각 작품에 대한 언급은 없습니다.
②가 정답이 되려면 예술 활동은 전문가만 참여해야 한다거나 비전문가는 참여하면 안 된다는 내용이 있어야 하는데, 오히려 주민들이 함께 참여하는 모습을 긍정적으로 말하고 있습니다.
③이 정답이 되려면 예술이 지역 경제를 발전시키는 수단이라는 점을 중심으로 강조해야 하는데, 지문은 경제 효과보다 사람들 사이의 관계 변화와 마을 분위기의 변화에 초점을 맞추고 있으므로 ③은 정답이 아닙니다.

4-2 중심 내용 파악하기

1. ③   2. ③   3. ③   4. ④

1. 정답 ③   ≫ p.54

> **남자** : 한국의 해녀는 단순히 바다에서 해산물을 채취하는 일을 하는 사람들이 아닙니다. 이들은 자연의 변화를 읽고, 위험한 환경에서도 서로를 지켜 주는 공동체를 이루는 역할을 합니다. (휘이 휘파람 소리) 해녀가 입수하기 전 서로의 안전을 확인하며 부르는 '숨비 소리'는 단순한 신호가 아니라 생명과 생명의 약속입니다. 이런 문화적 가치와 삶의 지혜는 오늘날에도 배울 점이 많습니다. 물질로만 보는 산업적 시각이 아닌, 자연과 공존하며 살아온 해녀의 정신을 계승해야 합니다. 이것이 해녀가 그저 하나의 직업이 아닌 살아 있는 문화유산이라 불리는 이유입니다.

해설

남자는 자연과 공존하며 살아온 해녀의 정신을 오늘날에도 계승해야 한다며 살아 있는 문화유산이라고 강조합니다. 따라서 ③이 중심 내용입니다. 💡

해녀가 사라져 가는 직업이라 보존이 어렵다는 말은 하지 않았으므로 ①은 정답이 아닙니다.
해녀의 일을 기계로 대신해야 한다는 내용은 없으므로 ②는 정답이 아닙니다.
해녀는 단순히 해산물을 채취하는 사람이 아니라고 부정했습니다. 해녀의 역할이 해산물 채취에 한정되지 않으므로 ④는 정답이 아닙니다.

2. 정답 ③   ≫ p.54

> **여자** : 요즘 '뇌 흐림'이라 불리는, 머릿속이 흐릿하고 집중이 잘되지 않는 증상을 호소하는 사람이 많습니다. 이는 단순한 피로나 일시적인 현상만이 아니라, 과도한 정보에 노출되거나 수면이 부족하고 생활 패턴이 불규칙할 때 자주 나타납니다. 이런 상태가 오래 지속되면 기억력이나 판단력이 떨어질 수 있어 주의가 필요합니다. 하지만 규칙적인 수면과 균형 잡힌 식사, 가벼운 운동만으로도 증상을 완화할 수 있습니다. 특히 의식적으로 휴식 시간을 확보해 머리를 비우는 것이 중요합니다. 결국 뇌 흐림은 몸이 보내는 '쉬어야 한다'는 신호라고 볼 수 있습니다.

해설

여자는 뇌 흐림의 원인과 해결 방안을 이야기합니다. 규칙적인 수면, 균형 잡힌 식사, 가벼운 운동, 의식적인 휴식 시간을 확보하는 것만으로도 증상을 완화할 수 있다고 했으므로 생활 습관을 조절하면 뇌 흐림을 완화할 수 있다는 ③이 중심 생각입니다. 💡

생활 습관 개선만으로도 완화 가능하다고 했으므로 ①은 정답이 아닙니다.
여자는 뇌 흐림의 원인으로 과도한 정보와 수면 부족, 불규칙한 생활 패턴 등을 언급했습니다. 이를 심리적인 요인으로만 한정하여 설명하는 것은 지문의 내용과 일치하지 않으므로 ②는 정답이 아닙니다.
지문에 나이와 관련된 설명은 없으므로 ④는 정답이 아닙니다.

3. **정답** ③　　　　　　　　　　　　　　　　　　　　　　　　　　　　≫ p.54

> **여자 :** 우리가 일상에서 사용하는 제스처, 즉 몸짓이나 손짓은 단순한 행동처럼 보이지만 사실은 문화적 의미
> 를 담고 있는 중요한 의사소통 수단입니다. 예를 들어 서양에서 '엄지손가락을 세우는 동작'은 긍정의
> 의미로 쓰이지만, 일부 나라에서는 그것이 무례한 행동으로 받아들여지기도 합니다. 이처럼 제스처는
> 언어보다 빠르게 전달되지만, 문화가 다르면 오해를 낳을 수 있습니다. 따라서 다른 문화권의 사람과
> 소통할 때는 그들의 제스처가 지닌 의미를 이해하려는 노력이 필요합니다.

해설

같은 제스처라도 나라·문화에 따라 의미가 다르기 때문에 제스처의 의미를 이해해야 한다는 ③이 정답입니다.

듣기 지문은 제스처의 의미를 이해하려는 노력을 강조했지 제스처를 지양하고 언어 사용만을 늘려야 한다고 주장하
지 않았으므로 ①은 정답이 아닙니다.
제스처는 문화가 달라 해석의 오해를 낳을 수 있다고 했으므로 가장 정확하다는 표현은 지문의 전체적인 흐름과
맞지 않습니다. 따라서 ②는 정답이 아닙니다.
지문의 핵심 단어는 시간의 흐름이 아니라 문화적 차이이므로 ④는 정답이 아닙니다.

4. **정답** ④　　　　　　　　　　　　　　　　　　　　　　　　　　　　≫ p.54

> **남자 :** 기술의 발전은 우리의 삶을 눈에 띄게 바꾸어 놓았습니다. 버튼 하나로 정보를 얻고, 한 손의 기기로
> 세상과 연결되는 시대가 되었지요. 분명 기술은 우리에게 편리함을 주었지만, 그 속에는 한 가지 위험
> 도 숨어 있습니다. 바로 '생각하지 않는 습관'입니다. 우리는 점점 스스로 판단하기보다 기계의 선택에
> 의존하게 되었습니다. 기계가 대신 계산하고, 대신 결정하며, 대신 기억해 주는 시대가 된 것입니다.
> 그 결과 인간이 기술을 다루는 게 아니라, 기술에 따라 움직이고 있습니다. 이제 우리에게 필요한 것은
> 더 빠르고 새로운 기술이 아닙니다. 기술을 사용하는 인간의 주도권을 되찾는 일입니다. 기술은 인간
> 을 편리하게 돕기 위한 도구일 뿐, 인간이 기술의 지시에 따라야 하는 시대가 되어서는 안 됩니다.

해설

남자는 마지막에 기술은 인간을 돕는 도구일 뿐 인간이 기술의 지시에 따라서는 안 된다고 강조합니다. 따라서 기술
이 발전할수록 인간의 생각하는 힘과 주도권을 지켜야 한다는 ④가 정답입니다.

①이 정답이 되려면 기술이 인간보다 더 정확하게 판단한다거나 그런 장점을 강조해야 하는데, 여기서는 오히려 인
간의 판단력이 약해지는 문제를 지적하고 있으므로 정답이 아닙니다.
기술이 편리함을 준다는 부분은 맞으나 이것은 중심 내용이 아닙니다. 편리함은 부가적인 설명일 뿐, 핵심은 '편리함
에만 기대다 보면 인간이 주도권을 잃는다'는 경고이므로 ②는 정답이 아닙니다.
지문에서는 기술 사용 자체를 줄이자는 것이 아니라, 인간이 주도권을 갖고 사용할 것을 강조하고 있으므로 ③은
정답이 아닙니다.

5 주제(화제) 고르기

1. ③   2. ③   3. ②

1. 정답 ③　　　　　　　　　　　　　　　　　　　　　　　　≫ p.59

> **여자** : 최근 한 심리학 연구팀이 향기가 사람의 집중력에 미치는 영향을 알아보기 위한 실험을 진행했습니다.
> 연구팀은 대학생들을 두 집단으로 나누어 한쪽은 은은한 레몬 향이 나는 방, 다른 한쪽은 아무 향도
> 없는 방에서 1시간 동안 집중 과제를 수행하게 했습니다. 그 결과, 레몬 향이 있는 방에 있던 학생들은
> 집중한 시간과 과제 정답률이 모두 높게 나타났습니다. 연구팀은 상쾌한 향기가 뇌를 자극해 일시적으
> 로 집중력을 향상한다고 설명했습니다. 즉, 적절한 향기의 사용이 학습 효율에 긍정적인 영향을 줄 수
> 있다는 결론을 얻은 것입니다.

해설

지문 전체가 레몬 향과 집중력의 관계를 설명하고 있으므로 ③이 정답입니다. 💡

지문에서는 '향기가 사람의 집중력에 미치는 영향'을 실험으로 설명하고 있기 때문에 향기가 건강에 미치는 영향이
라는 ①은 지문에서 다루지 않으므로 정답이 아닙니다.
여자는 학습 전략을 소개한 것이 아니라 향기가 집중력에 어떤 변화를 주는지 설명했기 때문에 ②는 정답이 아닙니다.
피로를 줄이는 방법에 대한 내용은 언급되지 않았기 때문에 ④는 정답이 아닙니다.

2. 정답 ③　　　　　　　　　　　　　　　　　　　　　　　　≫ p.59

> **여자** : 최근 여러 지역에서 '도시 텃밭 사업'을 적극적으로 추진하고 있습니다. 이 사업은 사람들이 직접 채소
> 를 길러 보는 체험뿐 아니라, 도시 환경을 개선하고 이웃들과의 관계를 돕는 데 목적이 있습니다. 예를
> 들어, 사용하지 않는 공터나 옥상 공간을 활용해 주민들이 함께 식물을 키우다 보면 도시의 녹지 공간
> 이 늘어나고, 이웃 간의 교류가 활발해지는 효과가 있습니다. 또한, 주민들이 함께 모여 식물을 키우다
> 보니 서로 이야기하고 도와주는 시간이 많아져 지역 공동체 관계가 더욱 좋아집니다. 이처럼 도시 텃
> 밭 사업은 지속 가능한 도시를 만드는 사회적 운동으로 자리 잡고 있습니다.

해설

**여자는 도시 텃밭 사업이 도시 환경을 개선하고, 이웃 간의 관계를 개선하는 데 도움이 된다고 설명하고 있으므로
③이 정답입니다.** 💡

농업 기술을 전수하는 교육이라고 한 ①은 지문에서 언급되지 않았기 때문에 정답이 아닙니다.
농산물 판매나 수익 창출은 전혀 언급되지 않았으므로 ②은 정답이 아닙니다.
개인의 취미 활동 지원이라는 ④는 일부 관련이 있어 보이지만, 지문의 핵심은 지역 환경 개선과 공동체 관계 향상이
므로 정답이 아닙니다.

3. 정답 ②　　　　　　　　　　　　　　　　　　　　　　　　　≫ p.59

> 남자 : 이글루는 북극 지방의 에스키모 눈으로 만든 전통적인 집이다. 눈은 얼음보다 공기가 많이 들어 있어
> 서 열이 잘 전달되지 않는다. 이 성질 덕분에 이글루 안은 밖보다 훨씬 따뜻하다. 이글루는 눈으로 만
> 든 벽돌을 둥근 돔 형태로 쌓는데, 이는 바람의 세기를 줄이고 눈이 쉽게 미끄러져 내려가도록 하기
> 위함이다. 또한, 출입구는 본체보다 낮게 만들어 찬 공기가 아래로 빠져나가게 한다. 이처럼 자연환경
> 에 맞춘 구조와 재료의 선택이 혹독한 추위 속에서도 사람이 생활할 수 있게 만든 것이다.

해설

남자는 이글루가 어떤 구조로 만들어지고, 왜 그런 구조를 사용하는지에 대해 설명하고 있습니다. 따라서 ②가 정답
입니다. 💡

눈의 성질은 잠깐 언급되었지만, 전체 주제는 아니기 때문에 ①은 정답이 아닙니다.
에스키모의 생활 도구에 대해서는 설명되지 않았기 때문에 ③은 정답이 아닙니다.
북극의 기후 변화도 전혀 언급되지 않았으므로 ④는 정답이 아닙니다.

6 화자의 신분과 말하기 태도(방식) 파악하기

1. ②　　**2.** ③　　**3.** ③　　**4.** ①

---

1. 【정답】 ②　　　　　　　　　　　　　　　　　　　　　≫ p.65

> **여자** : 요즘 뉴스에서 식품 안전 점검 이야기가 자주 나오던데, 점검은 어떤 방식으로 이루어지나요?
> **남자** : 네. 저희 인주시에서는 시중에 판매되는 식품의 위생 상태를 정기적으로 검사하고 있습니다. 특히 유통 기한이나 보관 온도가 기준에 맞지 않으면 바로 판매를 멈추게 합니다.
> **여자** : 현장 점검은 직접 나가서 하시나요?
> **남자** : 네. 대부분은 직접 가서 확인합니다. 필요하면 샘플을 실험실로 보내 성분을 확인하기도 하고요. 소비자들이 안심하고 먹을 수 있도록 관리하는 것이 저희의 역할입니다.

【해설】

남자는 식품을 검사하고 기준에 맞지 않으면 판매를 멈추게 한다고 했기 때문에 식품 안전을 관리하는 공무원이 가장 자연스러우므로 ②가 정답입니다. 

남자가 "저희 인주시에서는 식품의 위생 상태를 정기적으로 검사하고 있습니다."라고 말했기 때문에 매장에서 직접 판매하는 사람이라는 ①은 지문과 맞지 않으므로 정답이 아닙니다.
남자가 영양 성분을 연구하는 학자라는 내용은 전혀 없기 때문에 ③은 정답이 아닙니다.
식품 유통 회사를 운영한다는 정보는 없으므로 ④는 정답이 아닙니다.

---

2. 【정답】 ③　　　　　　　　　　　　　　　　　　　　　≫ p.65

> **여자** : 요즘 병원마다 진료 예약 시스템을 개선하고 있다는데, 환자들이 직접 모바일로 예약을 변경할 수 있도록 한 곳도 있다고 들었어요.
> **남자** : 네. 맞아요. 예전에는 전화로만 예약을 해야 해서 불편했죠. 그런데 최근 시스템은 환자가 직접 진료과와 시간을 조정할 수 있어서 훨씬 편해졌어요.
> **여자** : 편하긴 한데, 예약을 너무 쉽게 변경하다 보니 일부 환자들이 예약만 하고 오지 않는 '노쇼' 문제가 더 심해졌다는 이야기도 있던데요.
> **남자** : 맞아요. 그래서 저는 단순히 시스템 편리성만 강조하기보다 예약을 취소할 때 불이익을 두거나 빈 시간을 다른 환자에게 바로 배정하는 보완 시스템도 함께 만들어야 한다고 생각해요. 그래야 병원도 더 효율적으로 운영되고, 환자들도 편리할 수 있을 거예요.

【해설】

남자는 시스템의 장점을 인정하면서도 "보완 시스템도 함께 만들어야 한다."라고 말했기 때문에 ③이 정답입니다.

남자는 예약 시스템이 편해졌다는 점을 인정하고 있기 때문에 편리성 자체를 비판한다는 ①은 정답이 아닙니다.
시스템 도입 자체를 반대하는 것도 아니고, 오히려 좋은 점을 먼저 말했기 때문에 ②는 정답이 아닙니다.
'노쇼' 문제를 단순한 일시적 현상이라고 보지 않고, 불이익이나 대기 환자 배정 같은 보완 대책이 필요하다고 말했기 때문에 ④는 정답이 아닙니다.

3. 정답 ③ ≫ p.65

> **여자**: 최근 기업들이 '재택근무제'를 확대하면서 직원 만족도가 높아졌다는 조사 결과가 나왔습니다.
>
> **남자**: 네. 초기에는 직원들의 근무 효율이 떨어질 거라는 우려도 있었지만, 실제로는 출퇴근 시간이 줄어 스트레스가 감소했고, 업무 집중도도 오히려 높아졌습니다. 물론 모든 직무에 적용하기는 어렵습니다. 팀 단위로 협업이 필요한 부서나 현장 관리가 중요한 분야에서는 재택근무가 비효율적일 수 있죠. 그래서 저는 기업이 단순히 제도를 확대하기보다 업무 성격에 맞게 선택적으로 운영해야 한다고 생각합니다.

해설

남자는 재택근무의 장점을 인정하면서도 업무 특성에 맞는 제한적 적용을 제시하고 있으므로 ③이 정답입니다.

남자는 재택근무의 장점만 강조하는 것이 아니라 "모든 직무에 적용하기는 어렵습니다."라고 말했기 때문에 효과를 과대평가한다는 ①은 정답이 아닙니다.

재택근무제를 무조건 확대하자는 주장을 하지 않았기 때문에 ②는 정답이 아닙니다.

재택근무제 도입을 우려하거나 어려움을 강조한 것이 아니라 업무 성격에 맞게 선택적으로 운영해야 한다고 제안했기 때문에 ④는 정답이 아닙니다.

4. 정답 ① ≫ p.65

> **여자**: 요즘 전기차가 친환경 교통수단으로 주목받고 있습니다. 전기차는 가스 배출이 없어 도심의 미세 먼지를 줄이고, 연료비가 적게 들어 경제적인 장점도 있습니다. 이런 이유로 정부는 충전소 설치를 확대하고, 구매 보조금 제도를 운영하고 있습니다. 하지만 전기차가 완전히 친환경적이라고 보기는 어렵습니다. 배터리를 만드는 과정에서 희귀 금속을 대량으로 사용하고, 이 금속을 채굴할 때 발생하는 환경 파괴가 심각하기 때문입니다. 또한 배터리의 수명이 다한 후에는 폐기물 처리 문제도 여전히 남아 있습니다. 따라서 진정한 의미의 친환경 이동 수단이 되려면 전기차 보급뿐 아니라 배터리 재활용과 친환경 에너지 생산 기술이 함께 발전해야 합니다.

해설

여자는 전기차의 장점을 말한 뒤, 배터리 생산과 폐기물이라는 한계를 설명하고 "따라서… 기술이 함께 발전해야 한다."라며 해결 방향까지 제안하고 있습니다. ①은 장점 → 한계 → 해결책의 구조로 되어 있으므로 정답입니다.

통계 수치를 제시하거나 여러 사례를 나열하며 기술 발전을 설명하지 않았으므로 ②와 ③은 정답이 아닙니다.

전기차의 장점만 강조한 것이 아니기 때문에 ④는 정답이 아닙니다.

7 담화 상황 고르기

1. ③   **2.** ④   **3.** ②   **4.** ④   **5.** ①

1. 정답 ③ ≫ p.70

> 남자 : (전화받는 효과음) 거기 시청 사무실이죠? 주민등록증 재발급하려고 하는데요. 예전에 찍었던 사진 그대로 써도 되나요?
> 여자 : 아니요. 최근 6개월 이내에 찍은 사진이어야 합니다.
> 남자 : 배경색은 아무 색이나 괜찮나요?
> 여자 : 흰색 배경이어야 하고, 모자를 쓰거나 선글라스를 끼면 안 됩니다.

해설

'최근 6개월 이내에 찍은 사진, 흰색 배경, 모자가 선글라스 안 됨'을 통해 사진 규격을 안내받는 상황임을 알 수 있습니다. 따라서 주민등록증의 사진의 조건을 확인하고 있다는 ③이 정답입니다. ✅

주민등록증을 받을 주소를 바꾸는 상황이 아니므로 ①은 정답이 아닙니다.
주민등록증을 잃어버렸다는 내용이 없으므로 ②는 정답이 아닙니다.
재발급 방법이라면 절차나 준비물, 수수료, 신청 방법 같은 내용이 나와야 하는데, 지문에서는 그런 설명은 전혀 없고 사진 규격만 안내받고 있으므로 ④는 정답이 아닙니다.

2. 정답 ④ ≫ p.70

> 남자 : (전화받는 효과음) 여보세요. 호텔 홈페이지에서 어린이 체험 프로그램을 봤는데요. 혹시 그 프로그램은 숙박객만 신청할 수 있나요?
> 여자 : 아닙니다. 숙박하지 않더라도 이용하실 수 있습니다. 예약은 하루 전에 전화로만 가능하고요, 결제까지 해 주셔야 예약이 확정됩니다.
> 남자 : 아, 그렇군요. 프로그램은 몇 시부터예요?
> 여자 : 오전 10시와 오후 2시 두 번 진행됩니다.

해설

남자가 호텔에 전화해서 프로그램 대상, 프로그램 예약을 어떻게 하는지 문의하고 있으므로 ④가 정답입니다. ✅

①이 정답이 되려면 객실 예약을 바꾸는 상황이어야 하는데, 객실 이야기는 나오지 않으므로 정답이 아닙니다.
숙박을 취소하는 상황이 아니므로 ②는 정답이 아닙니다.
③이 정답이 되려면 체험 프로그램에 참가하기 위해 돈을 낸다는 내용이 나와야 합니다. 그러나 남자는 이용법만 문의하고 있을 뿐 아직 결제하고 있지 않습니다. 그래서 ③은 정답이 아닙니다.

3. **정답** ②　　　　　　　　　　　　　　　　　　　　　　　　　　　　　　　　　　　≫ p.70

> **남자 :** 존경하는 시민 여러분, 이번 선거 결과는 개인의 승리가 아니라 시민 여러분의 믿음과 참여가 만들어
> 낸 결과라고 생각합니다. 그동안 저를 지지해 주시고, 더 나은 도시를 바라는 마음으로 함께해 주신
> 모든 분께 깊이 감사드립니다. 저는 이번 당선을 시민의 기대에 부응하라는 명령으로 받아들이겠습니
> 다. 앞으로 공약을 하나하나 실천하여 시민 여러분의 삶이 더 나아질 수 있도록 노력하겠습니다. 특히
> 교육, 복지, 환경 등 생활과 직접 연결된 정책을 먼저 추진하겠습니다. 또한 시민의 목소리를 정책에
> 담고, 언제나 신뢰받는 정치인이 되도록 최선을 다하겠습니다. 여러분과 함께 새로운 미래를 만들어
> 가겠습니다.

[해설]

'믿음과 참여가 만들어 낸 결과, 깊이 감사, 공약을 실천, 최선을 다하겠다'는 말을 통해 당선 후 인사하는 상황임을
알 수 있습니다. 그래서 ②가 정답입니다. 💡

①이 정답이 되려면 시민들이 함께 의견을 나누는 토론회 진행이 나와야 하는데, 지문에서는 감사 인사를 하고 있으
므로 정답이 아닙니다.
선거가 끝났고 당선된 상황이므로 선거에 출마하는 상황과는 맞지 않으므로 ③은 정답이 아닙니다.
④가 정답이 되려면 교육·복지 정책을 소개하거나 설명하는 내용이 나와야 하는데, 지문에서는 정책 소개가 아니라
당선 소감을 하고 있으므로 정답이 아닙니다.

4. **정답** ④　　　　　　　　　　　　　　　　　　　　　　　　　　　　　　　　　　　≫ p.70

> **남자 :** 올해 우리 시의 미세 먼지 수치는 작년보다 20% 줄었습니다. 모두 시민 여러분의 적극적인 참여와
> 노력 덕분입니다. 하지만 여전히 자동차 배기가스와 공장 매연으로 인한 대기 오염은 심각한 문제로
> 남아 있습니다. 이를 해결하기 위해 시에서는 노후 차량의 교체를 지원하고, 대중교통 전기 버스 보급
> 을 확대할 계획입니다. 또한 도심 곳곳에 나무를 심고, 하천과 공원을 정비하여 시민이 숨 쉴 수 있는
> 녹색 공간을 넓히겠습니다. 이와 함께 시민이 직접 참여하는 '일주일에 하루 차 없는 날' 운동을 추진하
> 겠습니다.

[해설]

'노후 차량 교체 지원, 전기 버스 확대, 나무 심기, 하천과 공원 정비' 등을 통해 환경 오염을 줄이기 위한 실천 계획
을 말하는 상황임을 알 수 있습니다. 그래서 ④가 정답입니다. 💡

①이 정답이 되려면 대기가 왜 오염되었는지가 나와야 하는데, 원인을 분석하는 내용이 아니므로 정답이 아닙니다.
②가 정답이 되려면 새로운 전기 버스 제품 소개가 주된 내용이어야 합니다. 그러나 지문은 전기 버스 보급이 환경
오염을 줄이기 위한 하나의 방법으로만 제시되므로 정답이 아닙니다.
시민들에게 협조를 요청하는 내용이 아니라 전반적인 환경 개선 실천 계획에 대해 설명하고 있으므로 ③은 정답이
아닙니다.

5. 　정답　①　　　　　　　　　　　　　　　　　　　　　　　　　　　≫ p.70

> **남자 :** 오늘 이 자리는 제가 공직에서 물러나며 마지막으로 인사드리는 자리입니다. 먼저, 그동안 함께 일해
> 온 동료 여러분과 저를 믿고 지지해 주신 시민 여러분께 진심으로 감사드립니다. 지난 30년 동안 저는
> 언제나 시민의 행복을 먼저 생각하며 일하기 위해 노력했습니다. 때로는 부족한 점도 있었지만, 시민
> 한 분 한 분의 목소리를 들으려 최선을 다했습니다. 함께했던 시간이 저에게는 가장 큰 자부심이자
> 소중한 추억으로 남습니다. 이제는 한 시민의 입장에서 여러분과 함께 지역 발전을 응원하겠습니다.

　해설

남자가 "공직에서 물러나며 마지막으로 인사드리는 자리"라고 했으므로 퇴임식임을 알 수 있습니다. 그래서 ①이
정답입니다. 💡

②가 정답이 되려면 시민들의 질문이나 의견을 듣고 대답하는 형식이 나와야 하는데 지문은 남자가 감사 인사를
하고 있는 상황입니다. 따라서 ②는 정답이 아닙니다.

③이 정답이 되려면 앞으로 선거에 나가겠다는 선언이 있어야 하는데, 남자는 공직에서 물러난다고 했으므로 정답이
아닙니다.

④가 정답이 되려면 지역 발전을 위해 진행한 정책에 대한 구체적인 내용이 나와야 합니다. 남자는 감사 인사와 퇴임
소감을 전하고 있으므로 ④는 정답이 아닙니다.

8 화자의 의도 및 이전의 대화 내용 파악하기

1 화자의 의도 파악하기

1. ③   2. ④

---

1. **정답** ③ ≫ p.73

> **여자**: 우리 동네는 앞으로 음식물 쓰레기를 더 꼼꼼하게 분리해서 버려야 한대. 과일 껍질이나 생선 뼈처럼 작은 것도 종류별로 확인해서 버려야 해서 좀 복잡하더라.
>
> **남자**: 나도 들었어. 환경을 생각하는 목적은 좋은데, 봉투도 따로 사야 하고 매번 일일이 분류해야 하니 꽤 불편하더라고. 이렇게 번거로운데 사람들이 얼마나 잘 지킬지 모르겠어.
>
> **여자**: 맞아. 버릴 때마다 신경 쓸 게 많아서 쉽지 않을 것 같아. 옆집도 잘못 버렸다가 벌금을 냈다던데.
>
> **남자**: 이런 불편함에다 벌금까지 있다면, 사람들이 오히려 부담을 느껴서 잘 지키지 못할까 걱정이야.

해설

남자는 봉투 구매, 종류별 분류 등 정책의 불편함과 벌금으로 인한 문제점을 우려하고 있으므로 ③이 정답입니다.

남자는 정책의 내용을 설명하기보다는 불편함을 이야기하고 있으므로 ①은 정답이 아닙니다.
남자는 환경 보호의 중요성보다는 정책의 현실적인 어려움을 말하고 있으므로 ②는 정답이 아닙니다.
남자는 정책에 대한 불만을 말하고 있을 뿐 해결 방법을 제안하지 않았으므로 ④는 정답이 아닙니다.

---

2. **정답** ④ ≫ p.73

> **남자**: 요즘 새로 나온 그 통역 앱 써봤어요? 외국인 친구랑 이야기할 때 진짜 편하더라고요. 목소리만 녹음하면 바로 통역돼서 들려요.
>
> **여자**: 아, 그거요? 저도 광고는 봤는데…. 솔직히 저는 좀 그래요. 직접 언어를 배우는 재미가 줄어드는 것 같아서요. 그리고 너무 의존하다 보면 결국에는 실제 의사소통 능력이 떨어질까 봐 걱정이에요.
>
> **남자**: 아, 그런 점도 있겠네요. 그래도 여행 갈 때는 진짜 유용하지 않을까요? 긴급한 상황에서는 아주 좋을 것 같아요.
>
> **여자**: 물론 도움이 될 때도 있지만, 기본적인 말하기조차 앱에 의존하는 건 좀 아쉽다고 생각해요. 기술이 발달할수록 사람의 노력은 줄어드는 것 같아서 씁쓸하기도 하고요.

해설

여자는 통역 앱에 지나치게 의존하면 의사소통 능력이 떨어질 것을 걱정하고 있으므로 ④가 정답입니다.

여자는 통역 앱에 대한 우려를 표현하고 있으므로 ①은 정답이 아닙니다.
여자는 통역 앱에 대한 부정적인 견해를 드러냈으므로 ②는 정답이 아닙니다.
지문에서 스마트폰 앱의 개발 과정에 대한 언급은 없으므로 ③은 정답이 아닙니다.

2 이전의 대화 내용 파악하기

1. ②   2. ③

1. **정답** ② ≫ p.76

> **여자** : 소장님, 방금 역사 유적지 보존 대책에 대해 말씀해 주셨는데, 기존 계획과는 어떤 점이 가장 크게 달라진 건가요?
>
> **남자** : 네. 기존의 개발 계획을 바꾸고, 유적지를 원래 모습 그대로 잘 보존하면서 주변에 시민들이 쉬어갈 수 있는 역사 공원을 만드는 것으로 결정했습니다. 단순히 유물을 지키는 것뿐 아니라, 시민들이 역사를 직접 느끼고 배울 수 있는 공간으로 만들어 나갈 계획입니다. 이 보존 사업을 위해 특별 예산도 확보했습니다.

해설

여자가 대화를 시작하며 "방금 역사 유적지 보존 대책에 대해 말씀해 주셨는데"라고 언급하고 있습니다. 대화 직전에 남자가 보존 대책에 대한 최종 결정 내용을 대중이나 기자들에게 발표하는 상황이 있었음을 알 수 있습니다. 따라서 ②가 정답입니다. 💡

'시민들이 쉬어가는 공원'을 언급하긴 했지만 주민들이 개발 사업에 어떻게 참여할지에 대한 논의는 나타나지 않으므로 ①은 정답이 아닙니다.

기존 계획을 바꿨다는 언급은 있으나, 이전 계획의 구체적인 문제점을 보고하는 상황이 대화 직전에 있었다고 보기 어려우므로 ③은 정답이 아닙니다.

시민을 위한 공원을 만든다고 했으나, 이 결정이 시민 투표를 거쳐 결과가 공개된 것인지는 지문을 통해 알 수 없으므로 ④는 정답이 아닙니다.

2. **정답** ③ ≫ p.76

> **남자** : 교수님, 조금 전에 교육 환경의 디지털 전환을 가속화하기 위한 방안을 발표하셨는데요. 그중 이번 인공 지능을 활용한 교육 계획은 기존 논의들과 어떤 차이가 있습니까?
>
> **여자** : 이번 계획의 핵심은 단순히 스마트 기기를 보급하는 것을 넘어섰다는 점입니다. 인공 지능 기반의 맞춤형 학습 시스템을 도입하고, 교사의 재교육 프로그램을 대폭 확대하는 것이 주 내용입니다. 수업에 활용하는 측면에서는 가상 현실과 메타버스를 수업에 도입하여 학생들의 몰입도를 높이고자 했습니다. 초기에는 교사의 업무가 늘어난다는 우려도 있었지만, 변화하는 미래 사회에 대비하기 위한 필수적인 시도라는 공감대가 형성되었습니다.

해설

남자가 "디지털 전환을 가속화하기 위한 방안을 발표하셨는데요."라고 언급하고 있습니다. 이는 대화 직전에 여자가 인공 지능 교육을 포함한 새로운 교육 계획을 대중에게 발표했음을 의미하므로 ③이 정답입니다. 💡

가상 현실 등의 기술 활용 계획은 언급되었지만, 실제 성공 사례를 구체적으로 소개하는 상황은 아니므로 ①은 정답이 아닙니다.

발표 내용에 대한 질문과 답변이 오가는 상황이지 여러 전문가가 모여 의견을 나누는 토론회가 열린 것은 아니므로 ②는 정답이 아닙니다.

교사들의 업무 부담에 대한 우려는 언급되었으나, 이를 확인하기 위한 설문 조사가 대화 직전에 있었다는 근거는 부족하므로 ④는 정답이 아닙니다.

실전 모의고사 정답 및 해설

제1회 실전 모의고사

1. ②	2. ①	3. ④	4. ④	5. ①	6. ①	7. ④	8. ③	9. ②	10. ④
11. ①	12. ②	13. ④	14. ④	15. ③	16. ④	17. ①	18. ③	19. ②	20. ④
21. ①	22. ③	23. ③	24. ①	25. ②	26. ③	27. ②	28. ③	29. ④	30. ②
31. ④	32. ①	33. ②	34. ④	35. ③	36. ②	37. ④	38. ②	39. ①	40. ③
41. ④	42. ②	43. ④	44. ③	45. ③	46. ②	47. ②	48. ④	49. ①	50. ②

※ [1~3] 다음을 듣고 가장 알맞은 그림 또는 그래프를 고르십시오. (각 2점)

1. 정답 ②　　　　　　　　　　　　　　　　　　　　　　　　　　≫ p.80

> 여자 : 잠깐만, 먹기 전에 나 사진 좀 한 장 찍어 줄래? 인터넷에 올리려고.
> 남자 : 그래, 좋아.
> 여자 : 음식이랑 같이 나오게 뒤로 더 가 줘. 그게 더 예쁘게 나오거든.

해설

음식과 함께 사진을 찍어 달라고 부탁하는 상황이므로 ②가 정답입니다. 💡

①은 남자와 여자가 함께 사진을 찍고 있습니다. 지문에서는 여자가 음식과 같이 나오게 뒤로 가 달라고 했으므로 정답이 아닙니다.

③은 여자가 직접 사진을 찍는 모습으로, 남자가 사진을 찍어 주는 상황과 맞지 않습니다.

④는 남자가 음식만 가까이에서 찍고 있고, 여자는 사진 촬영에 참여하지 않는 모습입니다. 대화의 중심은 음식과 여자를 함께 찍는 것이므로 정답이 아닙니다.

2. `정답` ① ≫ p.80

> **여자** : 환자분, 이 글자 보이세요? 한번 읽어 보세요.
> **남자** : 음…. 3인가요? 잘 안 보여요.
> **여자** : 눈이 많이 안 좋아지셨네요.

`해설`

"환자분"을 통해 여자와 남자의 관계가 의사와 환자임을 알 수 있습니다. 안과에서 벽에 붙은 시력표를 보면서 검사를 진행하는 장면인 ①이 정답입니다. 💡

②는 노인이 신문을 읽고 있고 여자가 안경을 건네는 모습입니다. 시력표나 검사 상황이 나오지 않으므로 정답이 아닙니다.

③은 의사가 눈을 직접 들여다보는 장면입니다. 지문에서는 글자를 읽어 보라고 했으므로 시력표를 이용한 검사여야 하므로 정답이 아닙니다.

④는 안과에서 사용하는 기계로 눈을 검사하는 모습입니다. 이 장면에서는 글자를 읽지 않으므로 "이 글자 보이세요?"라는 대화 내용과 맞지 않으므로 정답이 아닙니다.

3. `정답` ④ ≫ p.81

> **남자** : 여러분은 커피나 차를 자주 마십니까? 대학 생활 조사 결과에 따르면 지난 1년 동안 커피를 마시는 대학생의 비율은 줄어들었지만 차를 마시는 대학생의 비율은 꾸준히 증가한 것으로 나타났습니다. 대학생들이 마시는 차의 종류는 녹차가 45%로 가장 많았고, 그다음은 홍차가 30%, 허브차가 25% 순으로 나타났습니다.

`해설`

대학생이 마시는 차의 종류는 녹차가 45%로 가장 많았고, 그다음이 홍차 30%, 허브차 25% 순으로 나타났다고 했으므로 ④가 정답입니다. 💡

①은 커피와 차를 마시는 비율이 모두 증가하고 있습니다. 지문에서는 커피를 마시는 대학생의 비율은 감소했다고 했으므로 정답이 아닙니다.

②의 그래프를 보면 커피를 마시는 비율이 7월에 줄었다가 다시 늘었습니다. 지문에서는 커피를 마시는 대학생의 비율이 감소했다고 했으므로 정답이 아닙니다.

③은 차의 종류를 보여 주는 도표로 홍차가 45%로 가장 많게 나타나 있습니다. 듣기 지문에서는 녹차가 가장 많다고 했으므로 정답이 아닙니다.

※ [4~8] 다음을 듣고 이어질 수 있는 말로 가장 알맞은 것을 고르십시오. (각 2점)

4. 정답 ④ ≫ p.81

> 남자 : 자동차 검사 다 끝났습니다. 다른 건 괜찮은데 타이어가 오래됐네요.
> 여자 : 이번에 바꾸는 게 좋을까요?
> 남자 : 네, 비가 올 때 미끄러질 수 있으니까 교체하세요.

해설

여자는 "이번에 바꾸는 게 좋을까요?"라고 물었으므로 타이어를 바꿔야 하는 이유를 설명하며 교체를 권하는 말이 이어져야 자연스럽습니다. 따라서 ④가 정답입니다.

검사 후 바로 타면 된다는 말은 타이어 교체에 대한 대답이 아니므로 ①은 정답이 아닙니다.
타이어가 아니라 와이퍼를 바꾸라는 말인 ②는 앞말과 이어지지 않으므로 정답이 아닙니다.
타이어 교체에 대해 질문했는데 위험하면 차를 산다는 말은 이어지지 않으므로 ③은 정답이 아닙니다.

5. 정답 ① ≫ p.81

> 여자 : 혹시 3개월 이상 등록하면 할인해 주는 행사가 있나요?
> 남자 : 네. 원래 헬스장 이용 가격에서 10% 할인됩니다.
> 여자 : 그럼 3개월로 등록할게요.

해설

3개월 이상 등록하면 원래 가격에서 10% 할인된다고 했으므로 이어지는 여자의 말은 할인 조건에 맞춰 3개월 등록을 하겠다고 말하는 것이 자연스럽습니다. 따라서 ①이 정답입니다.

할인 여부를 확인한 뒤 등록 결정을 하면 되는데 가격이 비싸다는 말은 흐름과 맞지 않으므로 ②는 정답이 아닙니다.
할인이 되면 다음에 등록하기보다는 바로 등록한다는 대답이 더욱 자연스러우므로 ③은 정답이 아닙니다.
운동을 좋아한다는 일반적인 말은 할인 안내에 대한 반응이 아니므로 ④는 정답이 아닙니다.

6. 정답 ①　　　　　　　　　　　　　　　　　　　　　　　　　≫ p.82

> 남자 : 지난주에 여기에서 그릇을 샀는데요. 교환할 수 있나요?
> 여자 : 네. 영수증 보여 주시겠어요?
> 남자 : 네, 영수증 여기 있어요.

[해설]

영수증을 보여 달라는 말에 영수증을 건네는 말이 이어져야 하므로 ①이 정답입니다.

교환이 안 되면 버리겠다는 말은 대화 흐름과 맞지 않으므로 ②는 정답이 아닙니다.
이미 교환하러 왔다고 말했고 이어질 말은 영수증을 보여 주는 행동과 관련된 말이어야 하므로 ③은 정답이 아닙니다.
교환 절차의 다음 말로 다른 그릇을 보여 달라는 말은 자연스럽지 않으므로 ④는 정답이 아닙니다.

7. 정답 ④　　　　　　　　　　　　　　　　　　　　　　　　　≫ p.82

> 여자 : 요즘 출근길에 낙엽이 많이 쌓여서 미끄럽더라고요.
> 남자 : 맞아요. 아침마다 길이 좀 위험해 보여요.
> 여자 : 비까지 오면 더 위험할 것 같아요.

[해설]

두 사람은 출근길에 낙엽이 쌓여 길이 미끄럽고 위험하다는 상황을 이야기하고 있습니다. 따라서 '비까지 오면 더 위험할 것 같다'가 앞의 내용과 자연스럽게 이어지므로 ④가 정답입니다.

가을 날씨가 좋다는 감상은 낙엽으로 인해 길이 위험하다는 앞의 대화의 흐름과 맞지 않아 ①은 정답이 아닙니다.
바람이 불면 시원하겠다는 말은 날씨에 대한 개인적 느낌으로, 안전 문제를 다루는 대화와 연결되지 않으므로 ②는 정답이 아닙니다.
비가 많이 온다는 정보 제시는 가능하지만, 길이 위험해진다는 남자의 말과 직접적인 연결성이 부족하므로 ③은 정답이 아닙니다.

8. **정답** ③ ≫ p.82

> 남자 : 휴대폰 요금제를 좀 더 저렴한 거로 바꾸고 싶은데요.
> 여자 : 네. 지금보다 비용이 적게 드는 요금제로 변경해 드릴 수 있습니다.
> 남자 : <u>어떤 요금제가 있는지 알려 주세요.</u>

해설

남자는 휴대폰 요금제를 더 저렴한 것으로 바꾸고 싶다고 말하였고, 여자는 비용이 적게 드는 요금제로 변경해 줄 수 있다고 안내하고 있습니다. 따라서 대화의 흐름에 가장 알맞게 이어지는 말은 '어떤 요금제가 있는지 알려 주세요.'이므로 ③이 정답입니다. ✔

요금을 그대로 두겠다는 말은 요금제를 변경하고 싶다는 남자의 앞선 발화와 모순되므로 ①은 정답이 아닙니다. 휴대폰 색깔 변경은 요금제 변경과 관련이 없는 내용이므로 대화 흐름에 맞지 않아 ②는 정답이 아닙니다. 와이파이 비밀번호 변경 요청은 요금제 상담 상황과 전혀 관련이 없으므로 적절하지 않습니다. 따라서 ④는 정답이 아닙니다.

※ **[9~12]** 다음을 듣고 <u>여자가</u> 이어서 할 행동으로 가장 알맞은 것을 고르십시오. (각 2점)

9. **정답** ② ≫ p.82

> 여자 : 시간이 너무 늦었네. 집까지 혼자 걸어가기 좀 무서워.
> 남자 : 그러면 내가 집 앞까지 같이 가 줄까?
> 여자 : 그래 주면 좋겠다. 고마워.
> 남자 : 그럼 나가자. 준비됐지?

해설

"그럼 나가자. 준비됐지?"라는 남자의 말은 현재 머무는 실내 공간에서 목적지인 집을 향해 이동을 시작하려는 직전의 상황임을 나타냅니다. 따라서 여자가 이어서 할 가장 자연스러운 행동은 남자와 함께 밖으로 나가는 것이므로 ②가 정답입니다. ✔

집으로 이동하기 전 단계이므로 바로 집에 들어가는 상황은 대화의 흐름과 맞지 않아 ①은 정답이 아닙니다. 남자가 같이 가 주기로 했으며 택시를 부르자는 내용은 대화에서 언급되지 않았으므로 ③은 정답이 아닙니다. 친구에게 전화하는 행동 역시 대화의 맥락과 직접적인 관련이 없으므로 ④는 정답이 아닙니다.

10. 정답 ④   ≫ p.82

> 여자 : 이 상자를 택배로 보내려고 하는데요.
> 남자 : 보내실 주소는 적으셨나요?
> 여자 : 아직 안 적었어요. 어디에 쓰면 되나요?
> 남자 : 앞쪽 테이블에 주소 쓰는 종이가 있습니다.

[해설]

여자는 아직 주소를 적지 않았고, 남자는 주소를 적을 수 있는 종이가 앞쪽 테이블에 있다고 안내하고 있습니다. 따라서 여자가 할 행동은 주소를 적는 종이를 가져오는 것이므로 ④가 정답입니다.

주소를 적기 전에는 택배 접수가 완료되지 않아 바로 결제하는 상황은 적절하지 않으므로 ①은 정답이 아닙니다.
주소가 작성되지 않은 상태에서는 상자를 직원에게 맡기기 어렵기 때문에 ②는 정답이 아닙니다.
택배를 보내려는 상황인데 상자를 다시 집으로 가져가는 행동은 대화의 흐름과 맞지 않으므로 ③은 정답이 아닙니다.

11. 정답 ①   ≫ p.82

> 남자 : 오늘 친구들이 집에 오기로 했지? 어떤 음식을 준비할까?
> 여자 : 냉장고에 어제 사 둔 치즈랑 과일이 있을 거야.
> 남자 : 치즈는 봤는데 과일은 안 보이던데?
> 여자 : 채소 칸에 있을 텐데…. 내가 한번 찾아 볼게.

[해설]

여자는 과일이 냉장고 채소 칸에 있을 것이라며 직접 찾아 보겠다고 말하고 있습니다. 따라서 대화 이후에 이어질 행동은 채소 칸을 확인해 보는 것이므로 ①이 정답입니다.

과일이 집에 있을 가능성을 먼저 확인하려는 상황이므로 배달을 주문하는 행동은 적절하지 않기 때문에 ②는 정답이 아닙니다.
마트에 가서 과일을 사는 것은 냉장고를 확인한 이후에 고려할 수 있는 행동이므로 ③은 정답이 아닙니다.
이미 치즈는 확인한 상태이며 다시 치즈를 꺼내는 행동은 대화의 흐름상 맞지 않으므로 ④는 정답이 아닙니다.

12. 정답 ② ≫ p.82

> **여자**: 이번 주 동호회 모임을 준비해야 하는데, 무엇부터 하면 좋을까요?
> **남자**: 우선 장소부터 정하면 어떨까요? 지난번 카페는 너무 시끄러웠어요.
> **여자**: 맞아요. 그럼 이번에는 좀 더 조용한 장소를 찾아 볼게요.
> **남자**: 네. 좋아요. 그럼 저는 참가 인원을 파악해서 명단을 정리해 둘게요.

해설

남자는 모임 장소를 먼저 정하자고 제안하고 있으며, 여자는 이에 동의합니다. 따라서 여자의 다음 행동은 모임 장소를 알아보는 것이므로 ②가 정답입니다. ✅

참가자 명단을 정리하는 일은 남자가 하겠다고 말하였으므로 ①은 정답이 아닙니다.
활동비를 내는 내용은 대화에서 언급되지 않았으므로 ③은 정답이 아닙니다.
모임 시간을 공지하는 행동 역시 현재 대화의 흐름과 직접적인 관련이 없으므로 ④는 정답이 아닙니다.

※ [13~16] 다음을 듣고 들은 내용과 같은 것을 고르십시오. (각 2점)

13. 정답 ④ ≫ p.83

> **남자**: 새 휴대폰 샀다면서? 써 보니까 어때?
> **여자**: 응. 생각보다 훨씬 괜찮아. 특히 카메라 기능이 정말 마음에 들어.
> **남자**: 그럼 이번에 여행 가서 사진 많이 찍겠네.
> **여자**: 맞아. 풍경 사진을 많이 찍을 거야. 벌써 기대돼.

해설

여자는 새로 산 휴대폰에 대해 만족감을 분명하게 표현하고 있습니다. 또한 여행에서 사진을 많이 찍을 것이라고 말해, 해당 기능을 적극적으로 활용할 계획임을 보여 주고 있습니다. 따라서 ④가 정답입니다. ✅

새 휴대폰을 샀다고 말한 사람은 여자이므로 ①은 정답이 아닙니다.
여자는 여행을 가서 사진을 찍을 것이라고 말하고 있으므로 여행 계획이 없다는 ②는 정답이 아닙니다.
남자는 사진을 찍어 달라고 요청하지 않았으며, 여자의 상황을 추측하여 말했을 뿐이므로 ③은 정답이 아닙니다.

14. 정답 ④   ≫ p.83

> **여자** : (딩동댕) 관람객 여러분께 안내 말씀드립니다. 인주박물관의 특별전이 다음 주 금요일까지 연장됩니다. 운영 시간은 매일 저녁 9시까지이며, 공휴일인 다음 주 월요일에도 쉬지 않고 운영됩니다. 마지막 날인 다음 주 금요일은 오후 3시까지만 운영되오니 관람에 참고하시기를 바랍니다. (댕동딩)

해설

마지막 날인 다음 주 금요일은 오후 3시까지만 운영되고 그 외 매일 저녁 9시까지 운영한다고 설명하고 있으므로 ④가 정답입니다. 💡

새로운 특별전이 다음 주에 시작된다는 내용은 언급되지 않았으므로 ①은 정답이 아닙니다.
특별전은 다음 주 금요일까지 관람할 수 있다고 했으므로 ②는 정답이 아닙니다.
공휴일인 다음 주 월요일에도 쉬지 않고 운영된다고 했으므로 ③은 정답이 아닙니다.

15. 정답 ③   ≫ p.83

> **남자** : 오늘 아침 8시에 인주대로에서 시내버스와 택시가 충돌하는 사고가 발생했습니다. 이 사고로 버스 승객 5명이 조금 다쳐 병원으로 옮겨졌습니다. 경찰은 현재 정확한 사고 원인을 조사하고 있으며, 사고 현장은 현재까지도 많이 막히고 있습니다.

해설

시내버스와 택시가 충돌하는 사고가 발생했다고 말하고 있으므로 ③이 정답입니다. 💡

사고는 오늘 아침 8시에 발생했다고 했으므로 ①은 정답이 아닙니다.
경찰은 현재 정확한 사고 원인을 조사하고 있다고 했으므로 ②는 정답이 아닙니다.
사고 현장은 현재까지도 많이 막히고 있다고 했으므로 ④는 정답이 아닙니다.

16. 정답 ④   ≫ p.83

> **남자** : 향수 디자이너라는 직업을 모르는 분들이 많은데요. 구체적으로 어떤 일을 하시나요?
> **여자** : 네. 향수 디자이너는 유행하는 향수를 만드는 게 아니라, 사람의 감정과 추억을 향기로 표현하는 일을 합니다. 고객과의 충분한 상담을 통해 그분의 취향이나 중요한 기억을 파악하고, 여러 재료를 섞어 세상에 단 하나뿐인 향수를 만드는 거죠.

해설

여자는 고객의 감정과 추억을 향기로 표현하고 고객의 이야기를 통해 세상에 하나뿐인 향수를 만든다고 말하고 있으므로 ④가 정답입니다. 💡

여자는 재료를 섞는 것이 주된 일이라고 말하지 않았으므로 ①은 정답이 아닙니다.
남자가 향수 디자이너라는 직업을 모르는 사람이 많다고 말했으므로 ②는 정답이 아닙니다.
여자는 유행하는 향수를 만드는 것이 아니라고 말했으므로 ③은 정답이 아닙니다.

※ [17~20] 다음을 듣고 <u>남자</u>의 중심 생각으로 가장 알맞은 것을 고르십시오. (각 2점)

17. 정답 ①　　　　　　　　　　　　　　　　　　　　　　　≫ p.84

> 남자 : 요즘 몸 상태가 좀 안 좋아서 운동을 좀 해야 할 것 같아요.
> 여자 : 저도요. 이번 달에 운동해서 살을 많이 빼고 싶어요.
> 남자 : 음. 저는 갑자기 많이 빼기보다는 꾸준히 하는 게 더 좋다고 생각해요.

해설

남자가 갑자기 많이 운동하기보다는 꾸준히 하는 것이 더 좋다고 생각한다고 말하고 있으므로 ①이 정답입니다. ✔

남자는 갑자기 많이 빼기보다는 꾸준히 하는 것이 좋다고 말했으므로 ②는 정답이 아닙니다.
남자는 몸 상태가 좋지 않아도 운동을 해야 할 것 같다고 말했으며, 몸이 힘들면 쉬는 것이 좋다는 내용은 언급되지 않았으므로 ③은 정답이 아닙니다.
여자가 다이어트를 위해 운동을 해야겠다고 말했으며, 먹는 것에 대한 남자의 생각은 언급되지 않았으므로 ④는 정답이 아닙니다.

18. 정답 ③　　　　　　　　　　　　　　　　　　　　　　　≫ p.84

> 남자 : 해야 할 일이 너무 많아서 뭘 먼저 해야 할지 모르겠어요.
> 여자 : 그럴 때는 잠시 다 내려놓고 쉬는 게 도움이 돼요.
> 남자 : 하지만 할 일이 남아 있으면 마음이 불편해요. 얼른 해 버리는 게 더 낫죠.

해설

남자가 할 일이 남아 있으면 마음이 불편하다고 말하고 있으므로 ③이 정답입니다. ✔

남자는 일을 시작하기 전에 계획을 세워야 한다는 내용은 언급하지 않았으므로 ①은 정답이 아닙니다.
해야 할 일이 많을 때 잠시 쉬는 것이 좋다는 것은 여자의 생각이며 남자의 중심 생각은 아니므로 ②는 정답이 아닙니다.
남자는 힘든 일을 할 때 주변의 도움을 받는 것이 중요하다는 내용에 대해서는 언급하지 않았으므로 ④는 정답이 아닙니다.

19. 정답 ②　　　　　　　　　　　　　　　　　　　　　　　　≫ p.84

> **남자** : 저는 휴가 때 늘 계획을 세워서 떠나는 편인데요. 이번 여행 계획은 좀 세우셨어요?
> **여자** : 아니요. 저는 보통 계획 없이 그냥 떠나는 걸 좋아하거든요.
> **남자** : 그럴 수도 있겠네요. 하지만 저는 낯선 곳에 갈수록 안전이나 일정을 꼼꼼히 챙기는 게 중요하다고
>   생각해서요.
> **여자** : 그래도 계획에 없던 새로운 경험을 하는 게 여행의 진짜 재미 아닐까요?

해설

남자는 낯선 곳으로 여행할 때는 안전과 일정이 더 중요하다고 말하고 있으므로 ②가 정답입니다. 🔆

여행은 계획 없이 떠나는 것이 진정한 재미라는 내용은 여자의 생각이며 남자의 중심 생각은 아니므로 ①은 정답이 아닙니다.
남자는 새로운 여행지를 많이 방문하여 경험을 늘려야 한다는 내용은 언급하지 않았으므로 ③은 정답이 아닙니다.
남자는 예측하지 못한 상황에서 여행의 즐거움을 찾는 것보다 안전과 일정이 중요하다고 말하고 있으므로 ④는 정답이 아닙니다.

20. 정답 ④　　　　　　　　　　　　　　　　　　　　　　　　≫ p.84

> **여자** : 환경 교육가님, 환경 보호를 위해 우리는 어떤 노력을 해야 할까요?
> **남자** : 환경을 지키는 일은 대단한 일이 아니라 생활 속 작은 습관의 변화에서 시작됩니다. 예를 들어, 쓰레기
>   를 줄이고 가까운 거리는 걸어가거나 대중교통을 이용하는 것만으로도 큰 힘이 되죠. 이런 작은 행동
>   들이 모여 결국 우리 지구를 위한 큰 변화를 만들 수 있습니다.

해설

남자가 환경 보호를 위해 대단한 일이 아니라 생활 속 작은 습관의 변화에서 시작된다고 말하고 있으므로 ④가 정답입니다. 🔆

환경 보호에 정부의 노력이 가장 중요하다는 내용은 언급되지 않았으므로 ①은 정답이 아닙니다.
남자는 작은 행동들이 모여 큰 변화를 만들 수 있다고 말하고 있으므로 ②는 정답이 아닙니다.
대중교통을 이용하는 것은 작은 행동의 한 예일 뿐 환경을 지키는 데 가장 좋다고 말하지 않았으므로 ③은 정답이 아닙니다.

※ [21~22] 다음을 듣고 물음에 답하십시오. (각 2점)

> 남자 : 요즘 혼자 머물 수 있는 공간을 필요로 하는 직장인이 많아졌다고 하더라고요. 잠깐이라도 조용히 정리할
>   시간이 있으면 업무의 효율이 높아진다고 해요.
> 여자 : 맞아요. 그래서 기업들도 개인이 잠시 머무를 수 있는 작은 공간을 마련하는 추세예요. 사람들의 눈치를
>   보지 않고 재정비할 수 있어서 만족도가 높다고 하더라고요.
> 남자 : 우리 회사도 그런 1인용 공간을 도입하면 좋을 것 같아요. 짧은 휴식이나 집중이 필요한 일을 처리하기에도
>   도움이 될 것 같고요.
> 여자 : 맞아요. 기존 공간의 일부만 바꿔도 가능하니 부담도 크지 않을 것 같아요.

21. 남자의 중심 생각으로 가장 알맞은 것을 고르십시오.

정답 ①　　　　　　　　　　　　　　　　　　　≫ p.85

해설

남자는 "우리 회사도 그런 1인용 공간을 도입하면 좋을 것 같아요."라고 말하고 있으므로 회사에 1인용 공간을 도입할 필요가 있다는 ①이 정답입니다. 

1인용 공간이 업무 효율을 낮출 거라는 말은 지문의 내용과 반대되므로 ②는 정답이 아닙니다.
기존 공간을 활용하는 방법은 여자의 말에 해당하며, 남자의 중심 생각은 아니므로 ③은 정답이 아닙니다.
사람과 어울리기 싫어하는 성격에 대한 일반적인 판단은 지문에 나오지 않았으므로 ④는 정답이 아닙니다.

22. 들은 내용과 같은 것을 고르십시오.

정답 ③　　　　　　　　　　　　　　　　　　　≫ p.85

해설

남자는 "조용히 정리할 시간이 있으면 업무의 효율이 높아진다."라고 말했으므로 혼자만의 시간이 있으면 업무의 효율이 올라간다는 내용인 ③이 정답입니다.

회사가 이미 1인용 공간을 만들고 있다는 내용은 없으므로 ①은 정답이 아닙니다.
지문에서 눈치에 대한 내용은 "사람들의 눈치를 보지 않고 재정비할 수 있어서 만족도가 높다."뿐입니다. 남자의 성격에 대한 설명은 지문에 없으므로 ②는 정답이 아닙니다.
새로운 건물을 짓는다는 내용은 언급되지 않았고, 기존 공간의 일부만 바꿔도 가능하다고 했으므로 ④는 정답이 아닙니다.

※ [23~24] 다음을 듣고 물음에 답하십시오. (각 2점)

> **여자**: 안녕하세요, 고객님. 인주 카드입니다. 혜택이 좋은 카드가 새로 나와 전화드렸습니다.
> **남자**: 네. 어떤 혜택이 있나요? 그리고 연회비는 비싼가요?
> **여자**: 연회비는 지금 사용하고 계시는 카드와 동일하고요. 영화와 쇼핑 할인, 여행 상품 적립까지 추가됐습니다. 카드를 사용하시면 자동으로 혜택이 적용돼요.
> **남자**: 그렇군요. 관련 안내문을 문자로 받아 볼 수 있을까요?

23. 여자가 무엇을 하고 있는지 고르십시오.

정답 ③　　　　　　　　　　　　　　　　　　　　　　　　　≫ p.85

해설

여자는 "혜택이 좋은 카드가 새로 나와 전화드렸습니다."라고 말하며, 영화 · 쇼핑 할인과 여행 상품 적립 등 새로운 카드의 혜택을 설명하고 있으므로 ③이 정답입니다. 💡

연회비를 환불하고 있는 상황이 아니며 지문에서는 연회비 환불에 대한 말이 없으므로 ①은 정답이 아닙니다.
연체된 금액을 안내하는 상황이 아니므로 ②는 정답이 아닙니다.
고객의 카드 지출 내용을 확인하고 있다는 말도 나오지 않았으므로 ④는 정답이 아닙니다.

24. 들은 내용과 같은 것을 고르십시오.

정답 ①　　　　　　　　　　　　　　　　　　　　　　　　　≫ p.85

해설

여자는 "영화와 쇼핑 할인, 여행 상품 적립까지 추가됐습니다."라고 말하고 있으므로 새 카드에는 영화 할인 혜택이 있다는 ①이 정답입니다. 💡

연회비는 기존 카드와 동일하다고 했으므로 기존보다 저렴하다는 ②는 정답이 아닙니다.
카드를 사용하면 자동으로 혜택이 적용된다고 했으므로 별도의 신청이 필요하다는 ③은 정답이 아닙니다.
남자는 안내문을 문자로 받고 싶다고 했으므로 이메일을 원한다는 ④는 정답이 아닙니다.

※ [25~26] 다음을 듣고 물음에 답하십시오. (각 2점)

> **여자**: '재능 나눔 센터'는 모든 수업이 재능 기부로 이루어진다고 합니다. 이 센터는 어떻게 시작되었나요?
> **남자**: 몇몇 지인들이 지역 아이들에게 무료로 미술을 가르치던 작은 모임에서 출발했습니다. 아이들이 즐거워하고 적극적으로 참여하는 모습이 알려지자 다양한 예술 전문가들이 자연스럽게 참여하게 되었지요. 돈을 받지 않는 봉사 형태라 부담 없이 가르칠 수 있고, 아이들은 여러 배움을 통해 자신감을 키우게 됩니다. 저희 봉사자들도 아이들과 함께 성장한다는 보람을 느끼며 이 활동을 이어가고 있습니다.

25. 남자의 중심 생각으로 가장 알맞은 것을 고르십시오.

정답 ②　　　　　　　　　　　　　　　　　　　　　　　　　　　　≫ p.86

해설

여자는 센터가 어떻게 시작되었는지 물었고, 남자는 지역 아이들에게 무료로 미술을 가르치던 작은 모임에서 출발했다고 이야기했습니다. 이후 다양한 예술 전문가들이 참여하게 되었다고 했으므로 ②가 정답입니다.

예술 수업을 전문가 중심으로 운영해야 한다는 내용은 언급하지 않았으므로 ①은 정답이 아닙니다.
남자는 돈을 받지 않는 봉사 형태라 부담 없이 가르칠 수 있다며 무료 봉사의 장점을 강조했습니다. 유료 도입은 지문과 반대되는 내용이므로 ③은 정답이 아닙니다.
남자가 활동의 보람을 느끼고는 있지만, 프로그램을 구체적으로 더 늘려야 한다는 주장이나 의지는 나타나지 않았으므로 ④는 정답이 아닙니다.

26. 들은 내용과 같은 것을 고르십시오.

정답 ③　　　　　　　　　　　　　　　　　　　　　　　　　　　　≫ p.86

해설

남자는 아이들이 여러 배움을 통해 자신감을 키우게 된다고 말하고 있으므로, 아이들이 센터에서 예술 활동을 배우며 자신감을 얻는다는 내용인 ③이 정답입니다.

센터는 아이들에게 가르치는 것이지 성인을 대상으로 교육한다는 내용은 없으므로 ①은 정답이 아닙니다.
봉사자들이 부담스러운 상황에서도 기부한다는 내용은 없고, 오히려 부담 없이 가르칠 수 있다고 했으므로 ②는 정답이 아닙니다.
센터는 지인들의 작은 모임에서 시작해 이후 전문가들이 참여하게 되었다고 했으므로 처음부터 전문가 중심으로 운영되었다는 ④는 정답이 아닙니다.

※ [27~28] 다음을 듣고 물음에 답하십시오. (각 2점)

> | | |
> |---|---|
> | 남자: | 여보, 요즘 숲 유치원에 보내는 부모들이 많다던데 우리 아이도 숲 유치원에 보내는 게 어때? 자연에서 뛰놀면서 상상력도 많이 자란대. |
> | 여자: | 좋긴 한데, 아이가 아직 어리긴 하지만 공부도 조금은 해야 하지 않을까? 요즘은 아이들 교육이 워낙 빠르잖아. |
> | 남자: | 유치원생일 땐 책보다 자연 속에서 돌, 잔디, 나무를 만지며 노는 게 더 좋다고 생각해. 우리 아이가 공부만 신경 쓰지 않고 자연 속에서 시간을 보내면서 자연의 소중함을 느꼈으면 해. |
> | 여자: | 그래도 일반 유치원보다 뛰어노는 시간이 많으면 초등학교 진학 준비를 덜 하게 될 것 같아서 좀 걱정돼. |

27. 남자가 말하는 의도로 알맞은 것을 고르십시오.

 정답 ②　　　　　　　　　　　　　　　　　　　　　　　　　　≫ p.86

해설

남자는 "우리 아이도 숲 유치원에 보내는 게 어때?"라고 말하며, 자연에서 뛰어놀며 상상력과 자연의 소중함을 느낄 수 있다는 점을 설명하고 있으므로 아이를 숲 유치원에 입학시키려는 의도인 ②가 정답입니다. 💡

환경 보호의 중요성을 알리려는 목적은 아니므로 ①은 정답이 아닙니다.
일반 유치원의 장점을 설명한 것이 아니라 숲 유치원의 장점을 말하고 있으므로 ③은 정답이 아닙니다.
유치원 교육 전반의 문제점을 지적한 것도 아니므로 ④는 정답이 아닙니다.

28. 들은 내용과 같은 것을 고르십시오.

 정답 ③　　　　　　　　　　　　　　　　　　　　　　　　　　≫ p.86

해설

여자는 "일반 유치원보다 뛰어노는 시간이 많으면 … 걱정돼."라고 말하고 있으므로, 일반 유치원보다 숲 유치원은 뛰어노는 시간이 많다는 내용인 ③이 정답입니다. 💡

아이는 숲 유치원에 다니고 있지 않기 때문에 ①은 정답이 아닙니다.
여자는 초등학교 진학 준비에 대해 걱정하고 있으므로 ②는 정답이 아닙니다.
여자는 숲 유치원에 대해 긍정하면서도 걱정을 표현했을 뿐, 선호한다고 말하지는 않았으므로 ④는 정답이 아닙니다.

※ [29~30] 다음을 듣고 물음에 답하십시오. (각 2점)

> 남자: 요즘 집 정리 서비스가 인기라던데, 정리 수납 전문가는 정확히 어떤 일을 하나요?
> 여자: 저는 집 안의 물건을 쓰기 편하게 자리 잡을 수 있도록 정리해 드리는 일을 합니다. 생각보다 물건을 잘 버리지 못하는 가정이 많거든요. 그래서 단순히 버리는 게 아니라, 집에서 물건을 놓을 자리를 정해 주고, 고객의 생활 방식을 고려해서 고객이 꼭 필요한 것만 남기도록 합니다.
> 남자: 단순히 치우는 게 아니라, 생활하는 방법도 함께 조정하는 거군요.
> 여자: 네. 그래서 직장 때문에 바쁘거나 아이가 있어서 정리할 시간이 없는 분들에게 특히 인기가 많습니다. 이렇게 정리를 해 두면 유지하기도 쉽거든요.

29. 여자가 누구인지 고르십시오.

정답 ④　　　　　　　　　　　　　　　　　　　≫ p.87

해설

여자는 집 안의 물건을 쓰기 편하게 정리하고, 물건을 놓을 자리를 정해 주는 일을 하므로 공간을 정리하는 일을 하는 사람인 ④가 정답입니다.

이삿짐을 옮겨 주는 일은 언급되지 않았으므로 ①은 정답이 아닙니다.
집 구조를 설계하는 일에 대한 내용이 아니므로 ②는 정답이 아닙니다.
청소 도구를 판매한다는 내용도 없으므로 ③은 정답이 아닙니다.

30. 들은 내용과 같은 것을 고르십시오.

정답 ②　　　　　　　　　　　　　　　　　　　≫ p.87

해설

여자는 "아이들이 있어서 정리할 시간이 없는 분들에게 특히 인기가 많습니다."라고 말하고 있으므로 이 서비스는 아이가 있는 집에 인기가 많다는 ②가 정답입니다.

남자는 "요즘 집 정리 서비스가 인기라던데"라고 말했으므로 처음 들었다고 볼 수 없습니다. 따라서 ①은 정답이 아닙니다.
마지막 부분에 정리 후 유지하기도 쉽다고 했으므로 ③은 정답이 아닙니다.
고객의 생활 방식을 고려한다고 했으므로 ④는 정답이 아닙니다.

※ [31~32] 다음을 듣고 물음에 답하십시오. (각 2점)

> **여자** : 학교 폭력을 줄이려면 처벌을 강화하는 게 가장 효과적이라고 봅니다. 처벌이 강해야 학생들이 쉽게 폭력을 저지르지 못하죠.
>
> **남자** : 하지만 처벌만으로는 근본적인 변화가 어렵습니다. 학생들이 폭력을 하지 않도록 교육이 같이 이루어져야 합니다.
>
> **여자** : 그래도 처벌이 강하면 폭력도 자연스럽게 줄지 않을까요? 학생들이 처벌을 두려워해 행동을 조심하게 된다면 자연스럽게 폭력도 줄지 않을까 싶은데요.
>
> **남자** : 단기적으로 효과는 있을 수 있지만, 장기적으로는 인성 교육과 상담 프로그램을 지속적으로 진행하는 게 더 필요하다고 생각합니다.

31. 남자의 중심 생각으로 가장 알맞은 것을 고르십시오.

정답 ④　　　　　　　　　　　　　　　　　　　　　　　≫ p.87

해설

남자는 처벌 중심의 접근보다 교육과 상담이 학교 폭력 예방에 더 효과적이라고 생각하고 있으므로 ④가 정답입니다. 💡

강한 처벌의 필요성은 여자의 주장으로 ①은 정답이 아닙니다.
사회적 인식 개선에 대한 언급은 대화에서 나타나지 않았으므로 ②는 정답이 아닙니다.
학부모의 책임에 대한 내용 역시 남자의 발화에 포함되어 있지 않으므로 ③은 정답이 아닙니다.

32. 남자의 태도로 가장 알맞은 것을 고르십시오.

정답 ①　　　　　　　　　　　　　　　　　　　　　　　≫ p.87

해설

남자는 여자의 처벌 강화 중심의 의견에 명확히 반대하는 태도를 보이고 있으며 교육과 상담의 필요성을 강조하고 있습니다. 따라서 ①이 정답입니다. 💡

학교 폭력 문제에 대한 우려는 대화 전반에 나타나지만, 남자의 태도를 가장 잘 드러내는 선택지는 아니므로 ②는 정답이 아닙니다.
남자는 교육과 상담의 필요성을 의심하는 것이 아니라 오히려 강조하고 있으므로 ③은 정답이 아닙니다.
상대의 의견에 공감하기보다는 다른 해결 방안을 제시하며 반대하고 있으므로 ④는 정답이 아닙니다.

※ [33~34] 다음을 듣고 물음에 답하십시오. (각 2점)

> **여자** : 밀 키트는 필요한 재료를 손질해 정해진 양만큼 포장한 뒤, 간단한 조리 과정만 거치면 완성되는 간편 조리
> 식입니다. 처음 등장했을 때는 조리 과정이 복잡하거나 맛이 일정하지 않아 큰 주목을 받지 못했습니다.
> 그러나 신선도 유지 기술이 발전하고 조리법이 표준화되면서 맛과 품질이 안정되기 시작했죠. 그리고 메뉴
> 종류도 더욱 다양해졌습니다. 또한 바쁜 현대인들의 식사 준비 시간을 줄여 준다는 장점 때문에 판매량이
> 급격히 증가했고, 현재는 다양한 요리 분야에서 널리 활용되는 식품 형태로 자리 잡았습니다.

33. 무엇에 대한 내용인지 알맞은 것을 고르십시오.

> **정답** ② ≫ p.88

해설

밀 키트가 처음에는 큰 주목을 받지 못했으나, 신선도 유지 기술의 발전과 조리법의 표준화, 메뉴의 다양화로 품질이
안정되고, 바쁜 현대인의 생활 방식과 맞물리면서 판매량이 증가하게 된 과정을 설명하고 있습니다. 따라서 ②가
정답입니다. 💡

재료 손질 방법은 밀 키트의 정의 일부로만 언급되었을 뿐, 중심 내용은 아니므로 ①은 정답이 아닙니다.
영양 성분에 대한 비교는 지문에서 다루어지지 않았으므로 ③은 정답이 아닙니다.
새로운 요리 기술의 등장 배경이 아니라, 밀 키트라는 식품 형태가 대중화된 과정을 설명하고 있으므로 ④는 정답이
아닙니다.

34. 들은 내용과 같은 것을 고르십시오.

> **정답** ④ ≫ p.88

해설

신선도 유지 기술이 발전하면서 밀 키트의 맛과 품질이 안정되었기에, 기술 발전이 밀 키트의 품질 향상에 긍정적인
영향을 주었음을 의미하므로 ④가 정답입니다. 💡

밀 키트는 처음 등장했을 때 맛과 품질이 안정되지 않았다고 설명하고 있으므로 ①은 정답이 아닙니다.
밀 키트는 바쁜 현대인을 위한 식품으로, 특정 직업군이 사용하는 것은 아니므로 ②는 정답이 아닙니다.
지문에서는 판매량이 급격히 증가했다고 말하고 있으므로 ③은 정답이 아닙니다.

※ [35~36] 다음을 듣고 물음에 답하십시오. (각 2점)

> **남자 :** 이 작가는 젊은 시절부터 평생을 글쓰기에 바치며 60여 년 동안 꾸준히 작품 활동을 이어 왔습니다. 신춘문예로 등단한 뒤, 특유의 섬세한 문체와 따뜻한 시선으로 많은 독자들에게 사랑을 받아 왔죠. 40대에는 장편 소설로 큰 상을 받으며 문단에서의 위치를 굳혔고, 이후에도 꾸준히 에세이와 동화를 발표해 다양한 독자층을 얻었습니다. 생애 마지막에 발표한 작품들은 삶과 죽음, 기억을 깊이 있게 다루어 평론가들의 높은 평가를 받았습니다. 생애 끝까지 글쓰기를 멈추지 않은 그는, 우리 사회가 오래 기억해야 할 진정한 문학인이었습니다.

35. 남자가 무엇을 하고 있는지 고르십시오.

정답 ③　　　　　　　　　　　　　　　　　　　　　　　　　　》 p.88

해설

남자는 작가의 등단 이후 장기간의 작품 활동과 수상 경력, 다양한 장르의 창작을 시간의 흐름에 따라 설명하며 작가의 생애와 업적을 소개하고 있습니다. 따라서 ③이 정답입니다. 💡

어린 시절에 대한 구체적인 일화나 성장 배경은 언급되지 않았으므로 ①은 정답이 아닙니다.
대표 작품의 제목이나 내용이 중심적으로 제시되지 않았으므로 ②는 정답이 아닙니다.
작품을 읽어 보라고 직접 권유하는 표현은 나타나지 않았으므로 ④는 정답이 아닙니다.

36. 들은 내용과 같은 것을 고르십시오.

정답 ②　　　　　　　　　　　　　　　　　　　　　　　　　　》 p.88

해설

생애 마지막에 발표한 작품들이 삶과 죽음, 기억을 깊이 있게 다루었다고 명확히 설명하고 있습니다. 따라서 ②가 정답입니다. 💡

여행 에세이에 대한 언급은 없으며, 작가의 대표 장르로 제시되지도 않았으므로 ①은 정답이 아닙니다.
작가는 생애 끝까지 글쓰기를 멈추지 않았다고 설명하고 있으므로 ③은 정답이 아닙니다.
동화도 발표했으나, 대부분의 작품이 청소년을 위한 것이라고 말한 적은 없으므로 ④는 정답이 아닙니다.

※ [37~38] 다음을 듣고 물음에 답하십시오. (각 2점)

> 남자 : 최근 젊은 층에서 고혈압 환자가 늘고 있다던데요. 그 원인이 무엇인가요?
> 여자 : 네. 고혈압 환자가 증가하는 원인 중 하나는 과도한 염분 섭취입니다. 염분이 높은 음식을 섭취하면 혈관 속 체액량이 증가하면서 혈압이 쉽게 올라가죠. 특히 가공식품이나 외식 메뉴에는 생각보다 많은 염분이 들어 있어 조심해야 합니다. 또 짠 음식은 입맛을 자극해 과식으로 이어질 수 있기 때문에 체중 관리에도 좋지 않습니다. 혈압을 안정적으로 유지하려면 염분 섭취를 줄이고, 신선한 식재료 중심의 식습관을 유지하는 것이 중요합니다. 즉, 매일 조금씩만 주의해도 혈압을 안정적으로 지킬 수 있습니다.

37. 여자의 중심 생각으로 가장 알맞은 것을 고르십시오.

정답 ④ ≫ p.89

해설

여자는 고혈압 환자가 증가하는 원인을 설명한 뒤, 혈압을 안정적으로 유지하기 위해서는 염분 섭취를 줄이는 식습관이 중요하다고 반복적으로 강조하고 있습니다. 이는 지문 전체를 관통하는 중심 생각이므로 ④가 정답입니다.

고혈압의 유전적 원인에 대해서는 언급하지 않았으므로 ①은 정답이 아닙니다.
젊은 층에서도 고혈압 환자가 늘고 있다고 말하고 있으므로 ②는 정답이 아닙니다.
염분 섭취와 과식, 체중 관리의 관계는 언급되었으나 이는 중심 생각이 아니므로 ③은 정답이 아닙니다.

38. 들은 내용과 같은 것을 고르십시오.

정답 ② ≫ p.89

해설

여자는 가공식품이나 외식 메뉴에 생각보다 많은 염분이 들어 있다고 말하며 주의가 필요하다고 했으므로 ②가 정답입니다.

짠 음식은 입맛을 자극해 과식으로 이어질 수 있다고 했으므로 ①은 정답이 아닙니다.
염분 섭취는 혈압을 높여 혈관 건강에 좋지 않다고 설명했으므로 ③은 정답이 아닙니다.
젊은 층의 고혈압 환자가 증가하고 있다고 말하고 있으므로 ④는 정답이 아닙니다.

※ [39~40] 다음을 듣고 물음에 답하십시오. (각 2점)

> **여자** : 박사님, 최근 지진 피해가 늘면서 건축물 안전 기준이 더 엄격해진 거군요. 그렇다면 현재 어떤 기술들이 사용되고 있나요?
>
> **남자** : 1990년대부터 건축물의 흔들림을 줄이기 위한 내진 설계가 본격적으로 적용됐습니다. 최근에는 진동을 흡수하는 장치를 건물 내부에 설치해 큰 지진에도 구조적 피해를 최소화하려는 연구가 활발해졌고요. 다만 지역별 지질 구조와 법적 기준이 달라 모든 건물에 동일한 기술을 적용하기는 어렵습니다. 그래서 기존 건물은 보강 공사를 통해 안전성을 높이고, 신축 건물에는 새로운 기술을 우선 적용하는 방식을 사용하고 있습니다.

39. 이 대화 전의 내용으로 가장 알맞은 것을 고르십시오.

정답 ① ≫ p.89

해설

대화의 첫 부분에서 여자가 "최근 지진 피해가 늘면서 건축물 안전 기준이 더 엄격해진 거군요."라고 말합니다. 따라서 이 대화 이전에는 지진의 빈도나 피해 규모가 커지고 있다는 내용이 제시되었을 가능성이 가장 높으므로 ①이 정답입니다.

건축 재료 가격이나 공사비 부담에 대한 언급은 나타나지 않았으므로 ②는 정답이 아닙니다.
친환경 건물 디자인이나 해외 건축가에 대한 내용은 대화의 주제와 무관하기에 ③은 정답이 아닙니다.
공사 소음 문제는 안전 기준이나 내진 기술과 관련이 없으므로 ④는 정답이 아닙니다.

40. 들은 내용과 같은 것을 고르십시오.

정답 ③ ≫ p.89

해설

남자는 "지역별 지질 구조와 법적 기준이 달라 모든 건물에 동일한 기술을 적용하기는 어렵습니다."라고 말하고 있으므로 ③이 정답입니다.

내진 설계는 1990년대부터 적용되었다고 말하고 있으므로 ①은 정답이 아닙니다.
기존 건물에도 보강 공사를 통해 안전성을 높인다고 설명하고 있으므로 ②는 정답이 아닙니다.
진동을 흡수하는 장치에 대한 연구는 최근 활발해졌다고 했으므로 줄어들고 있다는 내용인 ④는 정답이 아닙니다.

※ [41~42] 다음을 듣고 물음에 답하십시오. (각 2점)

> **여자**: 고려청자를 보면 맑고 푸른 색감에 감탄하게 되는데요. 이러한 특별한 색은 고려청자만의 독특한 아름다움을 상징합니다. 이처럼 아름다운 청자는 고려 시대 초기부터 꾸준히 발전해 온 제작 기술의 결과물입니다. 특히, 흙을 다루는 기술과 유약을 만드는 방법, 그리고 불의 세기를 조절하여 굽는 기술이 매우 정교했죠. 오랜 연구를 통해 장인들은 청자에 구름이나 학 같은 무늬를 새겨 넣고, 표면에 유약을 입혀 신비로운 빛깔을 만들어 냈습니다. 이렇듯 고려청자는 당시 사람들의 예술성과 기술력이 고스란히 담겨 있는 귀한 문화유산이라 할 수 있습니다.

41. 이 강연의 중심 내용으로 가장 알맞은 것을 고르십시오.

정답 ④　　　　　　　　　　　　　　　　　　　　　　　　　》 p.90

해설

여자가 고려청자의 특별한 색과 아름다움, 그리고 고려 시대 초기부터 꾸준히 발전해 온 정교한 제작 기술에 대해 설명하고 있으므로 ④가 정답입니다.

고려청자에 나타난 무늬의 의미만 설명하는 것이 아니므로 ①은 정답이 아닙니다.
고려청자 제작에 쓰인 흙의 종류에 대한 내용은 언급되지 않았으므로 ②는 정답이 아닙니다.
고려청자 보존과 유지를 위한 정부의 노력에 대한 내용은 언급되지 않았으므로 ③은 정답이 아닙니다.

42. 들은 내용과 같은 것을 고르십시오.

정답 ②　　　　　　　　　　　　　　　　　　　　　　　　　》 p.90

해설

아름다운 청자가 고려 시대 초기부터 꾸준히 발전해 온 제작 기술의 결과물이라고 했으므로 ②가 정답입니다.

고려청자의 아름다운 색은 꾸준히 발전해 온 제작 기술의 결과물이라고 했으므로 ①은 정답이 아닙니다.
오랜 연구를 통해 무늬를 새겨 넣었다고 했으므로 무늬의 기법이 별다른 연구 없이 초기부터 확립되었다는 내용은 ③은 정답이 아닙니다.
불의 세기를 조절하여 굽는 기술이 매우 정교했다고 했으므로 ④는 정답이 아닙니다.

※ [43~44] 다음을 듣고 물음에 답하십시오. (각 2점)

> **남자**: 지금 흥미로운 행동 실험이 진행되고 있다. 한 사람이 길 한가운데 멈춰 서서 하늘을 바라보지만, 처음에는 주변 사람들은 거의 반응을 보이지 않는다. 그러나 하늘을 올려다보는 사람이 두 명, 세 명으로 늘어나자 상황이 달라진다. 사람들은 이유를 알지 못하면서도 자연스럽게 그 행동을 따라 하며 하늘을 함께 올려다본다. 이렇게 소수의 행동이 점점 많은 사람에게 퍼져 나가는 현상을 '군중 심리' 또는 '동조 현상'이라고 한다. 이 실험은 집단의 규모가 커질수록 개인이 그 행동에 참여할 가능성이 커진다는 사실을 보여 준다. 일상에서 베스트셀러 목록을 보고 책을 고르거나 많은 사람이 본 영화를 선택하곤 하는 것도 모두 군중 심리의 영향이다.

43. 무엇에 대한 내용인지 알맞은 것을 고르십시오.

정답 ④ ≫ p.90

해설

남자는 흥미로운 행동 실험을 통해 소수의 행동이 많은 사람에게 퍼져 나가는 현상을 설명하고 있으며, 이는 집단의 행동이 개인에게 미치는 영향을 보여 주는 내용이므로 ④가 정답입니다. ✅

하늘을 관측하는 과학 실험 방법에 대한 구체적인 설명이 아니므로 ①은 정답이 아닙니다.
길에서 진행된 실험은 맞으나 집단의 행동을 부정적으로 보는 위험 행동에 대한 내용은 아니므로 ②는 정답이 아닙니다.
베스트셀러 목록을 보고 책을 고르는 것은 군중 심리의 예시일 뿐, 전체 내용의 중심이 아니므로 ③은 정답이 아닙니다.

44. 참가자들이 하늘을 바라본 이유로 맞는 것을 고르십시오.

정답 ③ ≫ p.90

해설

참가자들이 이유를 알지 못하면서도 자연스럽게 그 행동을 따라 하며 하늘을 함께 올려다본다고 했으므로 주변 사람들의 행동에 영향을 받았기 때문이라는 ③이 정답입니다. ✅

옆 사람이 날씨 변화를 궁금해했다는 내용은 언급되지 않았으므로 ①은 정답이 아닙니다.
하늘에서 규모가 큰 무리를 발견했다는 내용은 지문에 나타나지 않았으므로 ②는 정답이 아닙니다.
지문에서 실험자의 안내를 따르도록 요청받았다는 내용도 없으므로 ④는 정답이 아닙니다.

※ [45~46] 다음을 듣고 물음에 답하십시오. (각 2점)

> **여자 :** 밴드 음악을 들을 때면 기타가 내는 화려한 소리나 드럼의 강렬한 리듬에 주목하기 쉽습니다. 하지만 그 뒤에서 묵직하게 음악의 중심을 잡아 주는 악기가 있습니다. 바로 베이스 기타입니다. 이 악기는 기타보다 소리의 높낮이가 매우 낮고 악기 줄도 굵어서 묵직한 소리를 냅니다. 이 악기는 주로 곡의 전체적인 리듬과 화음을 받쳐 주는 역할을 합니다. 드럼과 함께 밴드의 강력한 심장이 되어 음악의 토대를 단단하게 만들죠. 베이스 기타가 없다면 아무리 멋진 멜로디나 화려한 연주도 어딘가 허전하게 느껴질 수 있습니다. 특히 1950년대에 일렉트릭 베이스 기타가 등장하면서, 밴드 음악은 더욱 풍성하고 역동적인 모습을 갖추게 되었습니다. 이처럼 베이스 기타는 저음을 책임지면서 음악의 중심을 잡아 주는 핵심적인 악기입니다.

45. 들은 내용과 같은 것을 고르십시오.

> **정답** ③ ≫ p.91

해설

1950년대에 일렉트릭 베이스 기타가 등장하면서 밴드 음악이 더욱 풍성하고 역동적인 모습을 갖추게 되었다고 말하고 있으므로 ③이 정답입니다. 💡

베이스 기타는 기타보다 소리의 높낮이가 매우 낮고 악기 줄도 굵어서 묵직한 소리를 낸다고 했으므로 ①은 정답이 아닙니다.
베이스 기타는 주로 곡의 전체적인 리듬과 화음을 받쳐 주는 역할을 한다고 했으므로 ②는 정답이 아닙니다.
베이스 기타는 드럼과 함께 밴드의 심장이 되어 음악의 토대를 만든다고 했으므로 ④는 정답이 아닙니다.

46. 여자가 말하는 방식으로 알맞은 것을 고르십시오.

> **정답** ② ≫ p.91

해설

여자가 베이스 기타의 특징과 역할을 구체적으로 설명하며 그 음악적 가치를 부각하고 있으므로 ②가 정답입니다. 💡

여자는 베이스 기타의 특징과 역할을 설명하고 그 가치를 말할 뿐, 어떤 현상의 원인과 결과를 분석하는 방식이 아니므로 ①은 정답이 아닙니다.
일렉트릭 베이스 기타의 등장을 언급했지만, 과거와 현재의 베이스 기타 모습이나 역할 변화를 직접적으로 비교하여 보여 주고 있지 않으므로 ③은 정답이 아닙니다.
여자는 청자에게 질문을 던지거나 스스로 답하는 방식을 사용하지 않고 계속해서 베이스 기타에 대해 설명하고 있으므로 ④는 정답이 아닙니다.

※ [47~48] 다음을 듣고 물음에 답하십시오. (각 2점)

> **여자**: 최근 도시 숲 조성 사업이 활발하게 이루어지고 있는데요. 이 사업이 우리 사회에 미치는 영향과 성공적인 조성을 위해 필요한 점에 대해 말씀해 주십시오.
>
> **남자**: 네. 도시 숲은 경관을 아름답게 하는 것뿐만 아니라 도심의 환경 문제 해결에 매우 중요한 역할을 합니다. 미세 먼지를 줄이고, 뜨거워진 도시를 식히는 등 쾌적한 환경을 조성하고 생물 다양성도 높입니다. 또한, 시민들에게 스트레스 해소와 심리적 안정감을 제공하며 삶의 질을 높여 줍니다. 도시 숲을 성공적으로 조성하기 위해서는 장기적인 계획 아래 지속적인 관리가 이루어져야 하며, 시민들의 참여 또한 필수적입니다. 이러한 노력이 꾸준히 이어질 때 도시 숲은 더욱 큰 가치를 지니게 될 것입니다.

47. 들은 내용과 같은 것을 고르십시오.

정답 ②　　　　　　　　　　　　　　　　　　　　　　　≫ p.91

해설

남자가 도시 숲은 환경 문제 해결에 중요한 역할을 하고 시민들의 스트레스 해소와 심리적 안정감을 제공하여 삶의 질을 높여 준다고 설명하고 있으므로 ②가 정답입니다. 💡

도시 숲은 경관을 아름답게 하는 것뿐만 아니라 더 많은 중요한 역할을 한다고 했으므로 ①은 정답이 아닙니다.
도시 숲 조성을 위해서는 장기적인 계획과 지속적인 관리, 시민들의 참여가 필수적이라고 했으며 전문가의 연구가 무엇보다 중요하다는 내용은 언급되지 않았으므로 ③은 정답이 아닙니다.
장기적인 계획 아래 지속적인 관리가 이루어져야 한다고 했으므로 ④는 정답이 아닙니다.

48. 남자의 태도로 알맞은 것을 고르십시오.

정답 ④　　　　　　　　　　　　　　　　　　　　　　　≫ p.91

해설

남자가 도시 숲의 긍정적 가치를 여러 측면에서 강조하고 도시 숲을 성공적으로 조성하기 위한, 필요한 점을 제시하고 있으므로 ④가 정답입니다. 💡

남자는 도시 숲의 긍정적인 측면을 설명하고 있으므로 도시 숲 조성의 문제점을 지적하지 않았습니다. 그러므로 ①은 정답이 아닙니다.
도시 숲과 관련된 사회적 논쟁을 분석하며 해결책을 모색하는 내용은 언급되지 않았으므로 ②는 정답이 아닙니다.
남자는 도시 숲의 현황을 객관적으로 설명하는 것을 넘어 긍정적 가치를 강조하고 미래를 위한 노력을 제시하고 있으므로 ③은 정답이 아닙니다.

※ [49~50] 다음을 듣고 물음에 답하십시오. (각 2점)

> 남자 : 우리는 스마트폰 하나로 끊임없이 새로운 소식과 다양한 콘텐츠를 접하고 있습니다. 하지만 이러한 디지털 기기와의 과도한 연결은 우리에게 '정보 과부하'와 '디지털 피로'를 가져옵니다. 많은 사람들이 하루 종일 스마트폰을 손에서 놓지 못하고, 잠들기 직전까지 화면을 들여다보곤 합니다. 이런 습관은 뇌가 쉬지 못해 집중력 저하, 수면 장애 등의 문제를 유발할 수 있습니다. 그래서 저는 오늘 '디지털 디톡스'의 중요성을 강조하고 싶습니다. 디지털 디톡스는 의도적으로 디지털 기기와 거리를 두는 활동을 의미합니다. 스마트폰을 끄는 것에서 시작해, 자연 속에서 시간을 보내거나, 종이책을 읽는 등 다양한 방법이 있습니다. 디지털 디톡스를 실천하면 우리는 자신과 주변의 소중한 것들에 다시 집중할 수 있는 여유를 되찾을 수 있습니다.

49. 들은 내용과 같은 것을 고르십시오.

정답 ①　　　　　　　　　　　　　　　　　　　　　　　　　　　≫ p.92

해설

남자가 디지털 기기와의 과도한 연결이 정보 과부하와 디지털 피로를 가져온다고 말하고 있으므로 ①이 정답입니다. ✔

많은 사람들이 하루 종일 스마트폰을 손에서 놓지 못한다고 했으므로 ②는 정답이 아닙니다.
디지털 디톡스는 의도적으로 디지털 기기와 거리를 두는 활동이라고 말하고 있으므로 ③은 정답이 아닙니다.
디지털 디톡스는 스마트폰을 끄는 것 외에도 자연 속에서 시간을 보내거나 종이책을 읽는 등 다양한 방법이 있다고 말하고 있으므로 ④는 정답이 아닙니다.

50. 남자가 말하는 방식으로 알맞은 것을 고르십시오.

정답 ②　　　　　　　　　　　　　　　　　　　　　　　　　　　≫ p.92

해설

남자가 디지털 기기 과사용으로 인한 문제의 발생 원인을 설명하고, 해결책인 디지털 디톡스의 중요성을 강조하고 있으므로 ②가 정답입니다. ✔

문제에 대한 다양한 의견들을 비교하며 논지를 전개하는 방식은 아니므로 ①은 정답이 아닙니다.
새로운 과학적 발견을 소개하거나 그 원리를 자세히 분석하는 내용은 언급되지 않았으므로 ③은 정답이 아닙니다.
디지털 기기 사용의 역사적 변화 과정을 설명하거나 미래를 전망하는 방식은 아니므로 ④는 정답이 아닙니다.

제2회 실전 모의고사

1. ①	2. ③	3. ④	4. ①	5. ①	6. ②	7. ③	8. ④	9. ①	10. ②
11. ④	12. ④	13. ②	14. ④	15. ③	16. ①	17. ②	18. ④	19. ①	20. ③
21. ①	22. ④	23. ②	24. ④	25. ③	26. ②	27. ②	28. ④	29. ③	30. ④
31. ①	32. ②	33. ②	34. ②	35. ④	36. ③	37. ①	38. ③	39. ②	40. ①
41. ②	42. ①	43. ②	44. ①	45. ③	46. ②	47. ④	48. ①	49. ①	50. ④

※ [1~3] 다음을 듣고 가장 알맞은 그림 또는 그래프를 고르십시오. (각 2점)

1. 정답 ① ≫ p.93

> 여자 : 아이스 아메리카노 나왔습니다.
> 남자 : 어? 이상하네요. 저는 따뜻한 아메리카노를 주문했는데요.
> 여자 : 아, 죄송합니다. 바로 다시 만들어 드릴게요.

해설

남자는 따뜻한 아메리카노를 주문했으나 아이스 아메리카노가 나온 상황에 당황하고 있으며, 여자는 주문이 잘못되었음을 인정하고 사과하고 있습니다. 따라서 남자가 아이스 컵을 보며 의아해하고 직원이 미안해하는 표정으로 주문표를 확인하는 ①이 정답입니다. ✓

남자가 따뜻한 음료가 들어 있는 컵을 들고 만족스러운 표정으로 미소 짓는 모습은 제대로 주문이 된 상황이므로 ②는 정답이 아닙니다.
이미 테이블에 앉아 여유롭게 커피를 즐기는 모습은 현재 대화와 맞지 않으므로 ③은 정답이 아닙니다.
뜨거운 커피 두 잔을 만들어 주는 장면은 주문이 잘못되어 한 잔을 다시 만들어야 하는 대화의 상황 및 수량과 일치하지 않으므로 ④는 정답이 아닙니다.

2. 정답 ③ ≫ p.93

> 남자 : 이 그림, 여기 벽에 걸면 어때?
> 여자 : 좋아. 근데 이쪽이 좀 비어 보여서 조금만 더 위로 올리는 게 좋을 것 같아.
> 남자 : 알겠어. 그럼 이 정도만 더 올릴게.

해설

남자가 벽에 걸 액자의 위치를 묻고 여자가 조금 더 위로 올리는 것이 좋겠다고 의견을 말하고 있습니다. 따라서 남자가 액자를 벽에 대고 위로 올리는 동작을 하고 있으며, 여자가 이를 옆에서 도와주는 장면인 ③이 정답입니다. ✓

벽에 못을 박기 위해 망치질을 하는 것은 위치를 최종적으로 조정한 뒤의 단계이므로 ①은 정답이 아닙니다.
이미 걸린 그림을 단순히 감상하며 팔짱을 끼고 있는 모습은 위치를 조정하는 중인 대화 내용과 일치하지 않으므로 ②는 정답이 아닙니다.
벽이 아닌 책상 위에 그림이 놓여 있는 장면은 "벽에 걸면 어때?"라는 남자의 말과 관련이 없으므로 ④는 정답이 아닙니다.

3. 정답 ④ ≫ p.94

> **남자**: 최근 조사에 따르면 청소년의 운동 참여율이 3년 연속 감소한 것으로 나타났습니다. 2025년보다 2026년에 조금 줄었고, 2027년에는 가장 낮은 수치를 보였습니다. 또한 운동을 하지 않는 이유로는 '시간이 없어서'가 가장 많았고, 그다음은 '흥미가 없어서', 마지막은 '운동 시설이 멀어서'가 뒤를 이었습니다.

해설

남자는 청소년의 운동 참여율이 낮아진 현상과 이유에 대해 말하고 있습니다. 청소년이 운동을 하지 않는 이유의 순위가 '시간이 없어서(1위)', '흥미가 없어서(2위)', '운동 시설이 멀어서(3위)' 순으로 제시된 ④가 정답입니다. ✓

참여율이 연도별로 점차 높아지는 것으로 표현된 ①은 3년 연속 감소했다는 설명과 정반대이므로 정답이 아닙니다. ②는 운동 참여율이 낮아졌다가 2027년에 다시 높아집니다. 이것은 2027년이 가장 낮다는 지문의 설명과 일치하지 않으므로 정답이 아닙니다.
운동을 하지 않는 이유 중 2위와 3위의 순위가 바뀌어 있는 ③은 지문에서 언급된 순서와 다르므로 정답이 아닙니다.

※ [4~8] 다음을 듣고 이어질 수 있는 말로 가장 알맞은 것을 고르십시오. (각 2점)

4. 정답 ① ≫ p.94

> **남자**: 이 피자, 전자레인지로 몇 초 데워야 할까?
> **여자**: 잠깐만. 확인해 볼게. 포장지를 보니까 40초라고 적혀 있어.
> **남자**: <u>그대로 시간만 맞춰서 데우면 되겠다.</u>

해설

남자는 피자를 데우는 시간을 궁금해하고 여자는 포장지에 적힌 대로 40초를 데우면 된다고 정보를 제공했습니다. 따라서 확인한 조리법에 따라 시간을 맞춰 데우겠다는 ①이 정답입니다. ✓

피자를 차갑게 먹겠다는 말은 데우기 위해 시간을 물어본 남자의 앞선 행동과 모순되므로 ②는 정답이 아닙니다.
배가 고프지 않아 안 먹겠다는 말은 음식을 데우려는 상황과 흐름이 맞지 않으므로 ③은 정답이 아닙니다.
피자를 다시 냉동실에 넣겠다는 것은 조리 방법을 확인한 직후의 행동으로는 부자연스러우므로 ④는 정답이 아닙니다.

5. 정답 ① 　≫ p.94

> 남자 : 계좌를 만들고 싶어요. 어떤 서류가 필요하나요?
> 여자 : 신분증만 있으면 바로 만들 수 있습니다.
> 남자 : 지금 바로 만들게요.

[해설]

남자는 계좌 개설에 필요한 서류를 문의했고, 여자는 신분증만 있으면 즉시 개설이 가능하다고 안내했습니다. 필요한 준비물이 확인되었으므로 바로 계좌를 만들겠다고 답하는 ①이 정답입니다.

신분증이 필요 없을 줄 알았다는 말은 신분증이 있어야 한다는 안내에 대한 적절한 다음 반응이 아니므로 ②는 정답이 아닙니다.
대리인이 와도 되는지 묻는 질문은 본인이 직접 서류를 문의하고 있는 현재 상황과 어울리지 않으므로 ③은 정답이 아닙니다.
계좌를 새로 만들러 온 상황에서 기존 계좌 번호를 알려 주겠다고 말하는 것은 맥락에 맞지 않으므로 ④는 정답이 아닙니다.

6. 정답 ② 　≫ p.94

> 여자 : 지금 시간 좀 봐! 지하철 막차 시간이 거의 다 됐어.
> 남자 : 그러네. 이대로 가면 놓칠 수도 있겠다. 뛰자.
> 여자 : 저쪽 계단으로 가면 더 빨라.

[해설]

두 사람은 지하철 막차를 놓치지 않기 위해 서둘러야 하는 긴박한 상황에 처해 있습니다. 따라서 조금이라도 빨리 승강장에 도착할 수 있는 지름길을 제안하는 ②가 정답입니다.

지하철을 놓칠까 봐 뛰어야 하는 상황에서 커피를 마시자는 제안은 대화 맥락에 맞지 않으므로 ①은 정답이 아닙니다.
현재 막차 시간이 다 된 상황이므로 다음 지하철을 타자는 제안은 논리적으로 불가능하므로 ③은 정답이 아닙니다.
지하철을 타기 위해 뛰고 있는 도중에 갑자기 버스를 타자고 하는 것은 급박한 상황과 맞지 않으므로 ④는 정답이 아닙니다.

7. 정답 ③   ≫ p.95

> 여자 : 집에 휴지가 하나도 없어서 방금 마트에 다녀왔어.
> 남자 : 아. 어쩐지 나도 아침에 찾아 봤는데 없더라고.
> 여자 : <u>다음에는 휴지를 미리 사 두자.</u>

해설

여자는 집에 휴지가 없어서 마트에 다녀왔다고 말하고, 남자도 아침에 휴지가 없는 것을 확인했다고 합니다. 이 상황에서는 휴지가 떨어진 경험을 바탕으로 다음부터는 미리 준비하자는 제안이 가장 자연스럽기에 ③이 정답입니다. 💡

집에 물티슈가 많다는 말은 휴지가 떨어진 상황에 대한 직접적인 해결이나 반응이 아니므로 ①은 정답이 아닙니다. 휴지를 인터넷으로 사자는 제안은 이미 마트에 다녀온 상황과 자연스럽게 이어지지 않으므로 ②는 정답이 아닙니다. 요즘 물가가 올랐다는 일반적인 평가는 휴지가 없어서 불편을 겪은 상황에 대한 구체적인 반응으로 보기 어려우므로 ④는 정답이 아닙니다.

8. 정답 ④   ≫ p.95

> 남자 : 방금 받은 신선 식품이 상해서 먹을 수가 없어요. 확인 좀 부탁드립니다.
> 여자 : 불편을 드려 죄송합니다. 상태 확인을 위해 문제가 된 제품 사진을 보내 주시면 교환 또는 환불해 드리
>   겠습니다.
> 남자 : <u>그럼 사진 찍어서 바로 보내 드릴게요.</u>

해설

여자는 상태 확인을 위해 문제가 된 제품의 사진을 보내 달라고 안내하고 있습니다. 이에 대해 남자는 안내에 즉각적으로 따르겠다는 반응을 하는 것이 자연스럽습니다. 따라서 ④가 정답입니다. 💡

택배 접수 시간에 대한 말은 현재의 사진 요청과 관련이 없으므로 ①은 정답이 아닙니다. 상한 음식을 버리겠다는 행동은 사진을 보내 달라는 안내에 따르지 않는 반응이므로 ②는 정답이 아닙니다. 배달 음식을 시켜 먹겠다는 말은 문제 해결 절차와 관련이 없으므로 ③은 정답이 아닙니다.

※ [9~12] 다음을 듣고 <u>여자가</u> 이어서 할 행동으로 가장 알맞은 것을 고르십시오. (각 2점)

9. 정답 ①　≫ p.95

> 여자 : 우리가 주문한 음료가 아직도 안 나오네.
> 남자 : 그러게. 좀 오래 걸린다.
> 여자 : 혹시 주문이 잘못 들어간 건가?
> 남자 : 직원한테 물어보자.

해설

여자는 주문한 음료가 나오지 않는 상황을 말하고 있고, 남자는 직원에게 물어보자고 제안하고 있습니다. 이는 주문이 제대로 들어갔는지를 확인하려는 행동을 의미하므로 ①이 정답입니다. ✅

문의 전화를 하는 행동은 같은 공간에 있는 직원에게 직접 물어보자는 상황과 맞지 않으므로 ②는 정답이 아닙니다. 주문 확인을 하려는 대화가 이어지고 있으므로 계속 자리에 앉아 있는 행동은 적절하지 않아 ③은 정답이 아닙니다. 아직 확인하기 전 단계이므로 다른 카페로 이동하는 행동은 대화의 흐름과 맞지 않아 ④는 정답이 아닙니다.

10. 정답 ②　≫ p.95

> 남자 : 교환하실 옷은 가져오셨나요?
> 여자 : 네. 사이즈가 좀 작아서요. 한 사이즈 큰 제품으로 바꾸고 싶어요.
> 남자 : 가능합니다. 교환을 위해 영수증도 함께 보여 주세요.
> 여자 : 네. 잠시만요.

해설

남자는 교환을 위해 영수증을 보여 달라고 말하고 있으며, 여자는 이에 대해 "잠시만요."라고 응답하고 있습니다. 이는 바로 영수증을 꺼내려는 행동으로 이어지는 것이 자연스럽습니다. 따라서 ②가 정답입니다. ✅

옷을 입어 보는 행동은 교환 절차를 진행하기 전에 필요한 단계가 아니므로 ①은 정답이 아닙니다. 다른 옷을 고르는 행동은 영수증을 제시한 이후에 가능한 단계이므로 현재 상황과 맞지 않아 ③은 정답이 아닙니다. 교환 상황에서는 추가 결제가 필요한 경우가 아니므로 계산대로 가는 행동은 적절하지 않아 ④는 정답이 아닙니다.

11. 정답 ④ ≫ p.95

> 여자 : 검사받으러 왔는데 어디로 가면 될까요?
> 남자 : 이 복도 끝에 있는 검사실로 가시면 됩니다.
> 여자 : 네. 알겠습니다. 검사 전에 따로 할 게 있을까요?
> 남자 : 겉옷만 벗어서 보관함에 넣어 주시면 됩니다.

해설

남자는 검사 전에 겉옷을 벗어서 보관함에 넣어 달라고 안내하고 있습니다. 이에 따라 여자가 다음에 할 행동은 안내에 따라 겉옷을 보관함에 넣는 것이므로 ④가 정답입니다. 💡

검사를 받으러 온 상황이므로 병원을 나가는 행동은 대화의 흐름과 맞지 않아 ①은 정답이 아닙니다.
검사 일정 변경에 대한 언급은 없으므로 ②는 정답이 아닙니다.
의사와 상담하는 것은 검사 전에 해야 할 절차로 제시되지 않았으므로 ③은 정답이 아닙니다.

12. 정답 ④ ≫ p.95

> 여자 : 팀장님, 새 프로젝트 자료를 정리해서 가져왔습니다. 검토 부탁드립니다.
> 남자 : 잘 정리했네요. 그런데 경기 일정에 대한 설명이 빠져 있네요.
> 여자 : 네. 알겠습니다. 그 부분 추가해서 다시 준비해 오겠습니다.
> 남자 : 네. 이번 주 금요일까지 보내 주세요.

해설

남자는 보고서에 경기 일정에 대한 설명이 빠져 있다고 지적하고 있으며, 여자는 해당 부분을 추가해서 다시 준비하겠다고 말하고 있습니다. 이는 보고서를 수정해 경기 일정을 보완하겠다는 의미이므로 ④가 정답입니다. 💡

보고서는 이미 제출한 상태이므로 다시 제출하는 행동은 현재 상황과 맞지 않아 ①은 정답이 아닙니다.
팀장에게 전화하는 행동은 지시된 과제가 아니므로 ②는 정답이 아닙니다.
금요일까지 자료를 보내 달라는 요청이 있으므로 회의에 참석하지 않는 행동은 대화의 흐름과 맞지 않아 ③은 정답이 아닙니다.

※ [13~16] 다음을 듣고 들은 내용과 같은 것을 고르십시오. (각 2점)

13. 【정답】 ② ≫ p.96

> **여자** : 오늘 버스 타고 왔다며? 정류장 위치가 바뀌었던데 찾기 어렵지 않았어?
> **남자** : 어려웠어. 바뀐 정류장을 찾느라 여기저기 돌아다녔어.
> **여자** : 그래서 오늘 평소보다 늦었구나.
> **남자** : 응. 골목 안쪽으로 바뀌어서 찾기 좀 힘들었어.

【해설】

남자는 "바뀐 정류장을 찾느라 여기저기 돌아다녔어."라고 말하며, 정류장을 찾는 데 시간이 걸렸기 때문에 평소보다 늦었다는 상황을 설명하고 있습니다. 이는 정류장을 찾느라 시간이 더 걸렸다는 내용과 일치하므로 ②가 정답입니다. 🔦

두 사람이 함께 버스를 타고 왔다는 내용은 대화에서 언급되지 않았으므로 ①은 정답이 아닙니다.
여자는 정류장 위치가 바뀌었다는 사실을 이미 알고 질문하고 있으므로 처음 들었다는 내용은 맞지 않아 ③은 정답이 아닙니다.
남자는 새 정류장 위치를 미리 알고 있지 않았고, 오히려 찾느라 힘들었다고 말하고 있으므로 ④는 정답이 아닙니다.

14. 【정답】 ④ ≫ p.96

> **여자** : (딩동댕) 아파트 주민 여러분께 안내 말씀드립니다. 12월 5일 토요일, 오전 10시부터 오후 3시까지 중앙 공원에서 주민 벼룩시장이 열립니다. 물건 판매 신청은 행사 전날인 금요일 오후 6시까지이며, 토요일에는 중앙 공원 주변으로 차를 가져올 수 없습니다. 주민 여러분의 많은 관심과 참여 부탁드립니다. 감사합니다. (댕동딩)

【해설】

벼룩시장이 오전 10시부터 오후 3시까지 진행될 예정이라고 안내하고 있으므로 ④가 정답입니다. 🔦

벼룩시장은 12월 5일 토요일에 열린다고 했으므로 ①은 정답이 아닙니다.
물건 판매 신청은 행사 전날인 금요일 오후 6시까지라고 했으므로 ②는 정답이 아닙니다.
토요일에는 중앙 공원 주변으로 차를 가져올 수 없다고 했으므로 ③은 정답이 아닙니다.

15. [정답] ③ ≫ p.96

> **남자** : 지난 주말, 인주동 주민 센터에서 '찾아가는 무료 건강 검진 행사'가 성공적으로 끝났습니다. 이틀간 300여 명의 주민들이 간단한 건강 검사와 상담을 받을 수 있었는데요. 주민들은 가까운 곳에서 자신의 몸 상태를 확인할 수 있어 매우 만족한다는 반응을 보였습니다.

[해설]

300여 명의 주민들이 행사에 참여했다고 말하고 있으므로 ③이 정답입니다. 💡

행사는 이틀간 진행되었다고 했으므로 ①은 정답이 아닙니다.
행사는 인주동 주민 센터에서 열렸다고 했으므로 ②는 정답이 아닙니다.
주민들은 행사에 대해 매우 만족한다는 반응을 보였다고 했으므로 ④는 정답이 아닙니다.

16. [정답] ① ≫ p.96

> **남자** : 사육사님, 동물원 사육사라는 직업은 어떤 일을 하나요?
> **여자** : 동물원 사육사는 먹이를 주거나 청소만 하는 게 아닙니다. 동물의 건강과 행동을 잘 살피고 기록해야 합니다. 또 동물의 특징을 잘 알아야 하므로 관련 지식이 필요합니다. 특히 동물들이 다치지 않고 안전하게 지낼 수 있도록 환경을 관리하는 데 많은 시간을 씁니다.

[해설]

여자는 동물들이 다치지 않고 안전하게 지낼 수 있도록 환경을 관리하는 데 많은 시간을 쓴다고 말하고 있으므로 ①이 정답입니다. 💡

동물의 특징을 잘 알아야 해서 관련 지식이 필요하다고 했으므로 ②는 정답이 아닙니다.
동물원 사육사가 먹이를 주거나 청소만 하는 게 아니라고 했으므로 ③은 정답이 아닙니다.
여자는 동물의 건강과 행동을 살피고 환경을 관리하는 것을 중요하게 생각하며, 먹이를 주는 것이 가장 중요하다고 말하지 않았으므로 ④는 정답이 아닙니다.

※ [17~20] 다음을 듣고 <u>남자</u>의 중심 생각으로 가장 알맞은 것을 고르십시오. (각 2점)

17. 정답 ②　　　　　　　　　　　　　　　　　　　　　　　　» p.97

> 남자 : 피곤한데 오늘 저녁은 집에서 간단히 먹을까요?
> 여자 : 그냥 밖에서 사 먹어요. 빨리 먹고 쉬는 게 좋잖아요.
> 남자 : 편해도 밖에서 먹는 건 싫어요. 집밥이 마음도 편하고 몸에도 좋거든요.

해설

남자가 집밥이 마음도 편하고 몸에도 좋다고 말하고 있으므로 ②가 정답입니다. 🔖

남자는 편해도 밖에서 먹는 것이 싫다고 했으므로 ①은 정답이 아닙니다.
남자는 피곤해서 집에서 간단히 먹자고 제안했지만, 그의 중심 생각은 집밥이 몸과 마음에 좋다는 것이므로 ③은 정답이 아닙니다.
지문에서 간단하게 준비할 수 있는 음식 위주로 먹어야 한다는 내용은 언급되지 않았으므로 ④는 정답이 아닙니다.

18. 정답 ④　　　　　　　　　　　　　　　　　　　　　　　　» p.97

> 남자 : 요즘 물가가 올라서 돈을 쓰는 게 걱정돼요.
> 여자 : 그래도 가끔은 나를 위해 돈을 쓰는 게 좋지 않아요?
> 남자 : 저는 미래를 위해 미리 준비하는 게 마음이 편할 것 같아요.

해설

남자가 미래를 위해 미리 준비하는 것이 마음이 편할 것이라고 말하고 있으므로 ④가 정답입니다. 🔖

남자의 중심 생각은 물가 상승으로 인한 절약보다는 미래를 위한 준비에 있으므로 ①은 정답이 아닙니다.
가끔은 자신을 위한 소비도 필요하다는 것은 여자의 생각이며 남자의 중심 생각은 아니므로 ②는 정답이 아닙니다.
남자는 돈을 쓰는 것이 걱정된다고 했으므로 부담 없이 돈을 쓰는 것이 마음 편하다는 것은 남자의 생각과 다르므로 ③은 정답이 아닙니다.

19. 정답 ①　　　　　　　　　　　　　　　　　　　　　　　　　　　　　　≫ p.97

> 여자 : 새로운 스마트폰 광고를 보니까 저도 바꾸고 싶어요.
> 남자 : 음, 저는 굳이 최신 스마트폰으로 바꿀 필요를 못 느껴요. 지금 쓰는 것도 괜찮고요.
> 여자 : 그래도 새 스마트폰이 기능도 더 좋고 예쁘잖아요.
> 남자 : 스마트폰은 필요한 기능만 되면 되죠. 값이 비싼데 자주 바꿀 필요는 없다고 봐요.

해설

남자가 값이 비싼 스마트폰을 자주 바꿀 필요는 없다고 말하고 있으므로 ①이 정답입니다.

남자는 디자인보다 필요한 기능만 있으면 된다고 했으므로 ②는 정답이 아닙니다.
남자는 스마트폰이 필요한 기능한 되면 된다고 하였고, 모든 기능을 잘 써야 한다는 내용은 언급되지 않았으므로 ③은 정답이 아닙니다.
남자는 기능 외에 값이 비싸 자주 바꿀 필요는 없다고 했으므로 ④는 정답이 아닙니다.

20. 정답 ③　　　　　　　　　　　　　　　　　　　　　　　　　　　　　　≫ p.97

> 여자 : 선생님, 아이들을 가르칠 때 가장 중요하게 생각하시는 점은 무엇인가요?
> 남자 : 아이들이 정해진 것만 배우기보다는 스스로 생각하는 힘을 기르는 게 중요하다고 생각합니다. 또 실패해도 포기하지 않도록 응원하는 것도 중요하고요. 정답을 찾는 것보다 새로운 것을 상상하는 능력이 미래에 더 필요할 테니까요. 그래서 저는 아이들이 자유롭게 자기 생각을 말할 수 있는 수업을 하려고 합니다.

해설

남자가 아이들이 스스로 생각하는 힘을 기르고 실패해도 포기하지 않도록 응원하는 것이 중요하다고 말하고 있으므로 ③이 정답입니다.

남자는 정해진 것만 배우기보다 스스로 생각하는 힘을 기르는 것을 중요하게 생각하므로 ①은 정답이 아닙니다.
남자는 정답을 찾는 것보다 새로운 것을 상상하는 능력이 중요하다고 말하므로 ②는 정답이 아닙니다.
아이들이 자유롭게 자기 생각을 말하는 수업을 해야 한다는 것은 남자의 중심 생각이 아닌 수업 방법이므로 ④는 정답이 아닙니다.

※ [21~22] 다음을 듣고 물음에 답하십시오. (각 2점)

> **여자**: 팀장님, 이번 전시회 기획이 젊은 사람들에게 너무 어렵지 않을까요?
> **남자**: 젊은 층이 어렵게 느낄 수도 있겠죠. 하지만 박물관은 유행보다 유물의 본질을 알리는 곳이에요.
> **여자**: 하지만 너무 어려우면 사람들이 흥미를 잃을 수 있어요. 조금이라도 재미있게 보여 줘야 하지 않을까요?
> **남자**: 음, 그렇게 하면 유물의 진정한 가치를 전달하기 어려울 수 있어요. 저는 유물의 깊은 의미를 제대로 전달하는 것이 더 중요하다고 생각해요.

21. 남자의 중심 생각으로 가장 알맞은 것을 고르십시오.

정답 ①　　　　　　　　　　　　　　　　　　　　　　　》 p.98

해설

남자는 유행보다 유물의 본질을 알리는 것과 유물의 깊은 의미를 제대로 전달하는 것이 중요하다고 말하고 있으므로 ①이 정답입니다. ♥

남자는 유물을 쉽고 재미있게 보여 주는 것이 유물의 진정한 가치 전달을 어렵게 할 수 있다고 생각하므로 ②는 정답이 아닙니다.
남자는 젊은 층의 흥미보다 유물의 본질을 알리는 것을 더 중요하게 생각하므로 ③은 정답이 아닙니다.
유물 전시에 최신 기술을 활용하자는 내용은 언급되지 않았으므로 ④는 정답이 아닙니다.

22. 들은 내용과 같은 것을 고르십시오.

정답 ④　　　　　　　　　　　　　　　　　　　　　　　》 p.98

해설

남자는 재미있는 전시 방식이 유물의 진정한 가치를 전달하기 어려울 수 있다며 우려하므로 ④가 정답입니다. ♥

유물 가치 전달을 우선하는 것은 남자의 생각이며 여자는 젊은 층의 흥미를 중요하게 생각하므로 ①은 정답이 아닙니다.
남자는 유행보다 유물의 본질을 알리는 것을 박물관의 역할로 생각하므로 ②는 정답이 아닙니다.
여자는 전시가 젊은 사람들에게 너무 어렵지 않을까 우려했으므로 ③은 정답이 아닙니다.

※ [23~24] 다음을 듣고 물음에 답하십시오. (각 2점)

남자 : (딸깍) 여보세요. 안내 센터죠? 지금 2층 화장실 변기가 막힌 것 같아서요.

여자 : 네. 손님. 어떤 문제가 있는지 자세히 말씀해 주시겠어요?

남자 : 물이 아예 안 내려가고 계속 차오르네요. 이제 곧 물이 넘칠 것 같아서 더 큰 불편이 생길까 봐 걱정돼요.

여자 : 아, 그러셨군요. 불편을 드려 정말 죄송합니다. 바로 담당 직원을 보내서 확인하고 해결하겠습니다.

---

23. 남자가 무엇을 하고 있는지 고르십시오.

정답 ③ ≫ p.98

해설

남자는 2층 화장실 변기가 막혀 물이 차오른다고 말하며 시설 고장 상황을 신고하고 있으므로 ③이 정답입니다.

남자는 화장실 변기 고장을 알리는 것이지 청소를 요청하는 것이 아니므로 ①은 정답이 아닙니다.
남자는 변기 고장으로 인한 불편을 말하는 것이지 이용 방법을 문의하는 것이 아니므로 ②는 정답이 아닙니다.
남자는 고장 신고를 통해 도움을 요청하는 것이지 직접 불편 사항을 해결하는 것이 아니므로 ④는 정답이 아닙니다.

24. 들은 내용과 같은 것을 고르십시오.

정답 ④ ≫ p.98

해설

여자는 바로 담당 직원을 보내서 확인하고 해결하겠다고 말했으므로 ④가 정답입니다.

남자는 2층 화장실에 있다고 말했으므로 ①은 정답이 아닙니다.
남자는 화장실 변기가 막혔다고 말했으므로 ②는 정답이 아닙니다.
여자는 바로 직원을 보내겠다고 말했으므로 ③은 정답이 아닙니다.

※ [25~26] 다음을 듣고 물음에 답하십시오. (각 2점)

> **여자** : 최근 인주 김밥 축제가 큰 성공을 거두었다고 들었습니다. 어떻게 이런 성과를 낼 수 있었나요?
> **남자** : 가장 중요하게 생각한 것은 단순히 김밥을 판매하는 것을 넘어, 지역 농산물을 활용한 새로운 김밥을 개발하는 등 인주시만의 개성을 담는 것이었습니다. 특히 젊은 세대의 참여를 유도하기 위해 SNS를 통한 홍보와 이벤트에 신경을 많이 썼습니다. 덕분에 젊은 세대들의 참여도 매우 높았습니다. 마지막으로 시민들이 축제에 와서 즐거운 추억을 만들 수 있도록 노력한 것이 축제가 성공한 비결이라고 생각합니다.

25. 남자의 중심 생각으로 가장 알맞은 것을 고르십시오.

정답 ③　　　　　　　　　　　　　　　　　　　　　≫ p.99

해설

남자는 가장 중요하게 생각한 것은 인주시만의 개성을 담는 것이었다고 말하고 있으므로 ③이 정답입니다.

지역 농산물 활용은 인주시만의 개성을 담는 방법 중 하나로, 남자의 중심 생각은 아니므로 ①은 정답이 아닙니다. 젊은 세대 참여 유도는 축제 성공 비결 중 하나지 가장 큰 비결이라고 한 것은 아니므로 ②는 정답이 아닙니다. 돈을 버는 것보다 지역 이미지 향상에 초점을 맞춰야 한다는 내용은 지문에 언급되지 않았으므로 ④는 정답이 아닙니다.

26. 들은 내용과 같은 것을 고르십시오.

정답 ②　　　　　　　　　　　　　　　　　　　　　≫ p.99

해설

남자는 지역 농산물을 활용한 새로운 김밥을 개발했다고 말했으므로 ②가 정답입니다.

이 축제는 SNS를 통한 홍보와 이벤트에 신경을 많이 썼으므로 ①은 정답이 아닙니다.
젊은 세대의 참여가 매우 높았다고 말했으므로 ③은 정답이 아닙니다.
남자는 단순히 김밥을 판매하는 것을 넘어 개성과 경험이 중요하다고 했으므로 ④는 정답이 아닙니다.

※ [27~28] 다음을 듣고 물음에 답하십시오. (각 2점)

남자 : 요즘 카페마다 종이 빨대밖에 없던데, 음료를 다 마시기도 전에 흐물흐물해져서 좀 불편해.

여자 : 맞아. 나도 처음엔 그랬어. 그래도 플라스틱 쓰레기 문제를 생각하면 우리가 조금 불편해도 익숙해지는 게 좋지 않을까?

남자 : 물론 환경도 중요하지만, 이걸 계속 쓴다고 얼마나 환경에 도움이 될지도 모르겠고, 괜히 사람들만 힘들게 하는 것 같다는 생각까지 들어.

여자 : 네 말도 이해하지만 결국 이런 작은 변화들이 모여 큰 변화를 만드는 거잖아. 이걸 통해 환경 문제의 심각성을 다시 한번 생각해 보는 기회가 될 수도 있다고 봐.

27. 남자가 말하는 의도로 알맞은 것을 고르십시오.

정답 ② ≫ p.99

해설

남자는 음료를 다 마시기도 전에 빨대가 흐물흐물해져 불편하고 사람들이 힘들다고 말했으므로 ②가 정답입니다.

남자는 종이 빨대가 얼마나 환경에 도움이 될지 모르겠다고 했으므로 ①은 정답이 아닙니다.
남자는 종이 빨대 사용의 불편함을 지적하는 것이지 플라스틱 빨대 재사용을 직접 주장하는 것은 아니므로 ③은 정답이 아닙니다.
남자는 사람들이 불편해한다고 생각하기 때문에 익숙해졌다는 설명은 내용과 반대되므로 ④는 정답이 아닙니다.

28. 들은 내용과 같은 것을 고르십시오.

정답 ④ ≫ p.99

해설

여자는 작은 변화들이 모여 큰 변화를 만든다며 불편함을 감수하더라도 환경 보호를 위해 함께 노력해야 한다는 입장이므로 ④가 정답입니다.

여자는 처음에는 종이 빨대가 불편했다고 말했으므로 ①은 정답이 아닙니다.
남자는 종이 빨대가 얼마나 환경에 도움이 될지 모르겠다고 말했으므로 ②는 정답이 아닙니다.
남자는 종이 빨대가 사람들을 힘들게 하는 것 같다고 말했으므로 ③은 정답이 아닙니다.

※ [29~30] 다음을 듣고 물음에 답하십시오. (각 2점)

> **여자**: 어떤 일을 하시는지 간단히 소개해 주시겠어요?
> **남자**: 네. 저는 오늘의 비, 바람, 구름, 기온 등을 알려 드리고 앞으로 어떻게 변할지 미리 전하는 일을 합니다. 사람들이 생활하는 데 도움이 되도록 정확한 정보를 주는 것이 저의 중요한 역할입니다.
> **여자**: 그렇군요. 그럼 이번 주말 날씨는 어떨까요? 주말에 밖에 나갈 계획을 세우는 분들이 많을 것 같아요.
> **남자**: 이번 주말은 전국이 대체로 맑고 따뜻하겠습니다. 기온도 평소보다 높고, 미세 먼지도 없어서 야외 활동을 하기에 아주 좋은 날씨가 될 것으로 보입니다.

29. 남자가 누구인지 고르십시오.

정답 ③ ≫ p.100

해설

남자는 비, 바람, 구름, 기온 등을 알려 주고 앞으로 어떻게 변할지 미리 전하는 일을 한다고 했으므로 ③이 정답입니다. 

남자는 날씨를 알려 주는 것이지 뉴스를 전하는 사람이 아니므로 ①은 정답이 아닙니다.
남자는 날씨 정보를 알려 주는 것이지 여행 정보를 소개하는 사람이 아니므로 ②는 정답이 아닙니다.
남자는 날씨의 변화를 연구한다고 언급하지 않았으므로 ④는 정답이 아닙니다.

30. 들은 내용과 같은 것을 고르십시오.

정답 ④ ≫ p.100

해설

남자는 이번 주말은 야외 활동을 하기에 아주 좋은 날씨가 될 것이라고 했으므로 ④가 정답입니다.

남자는 이번 주말 날씨가 맑고 따뜻하다고 했으므로 ①은 정답이 아닙니다.
여자는 주말에 밖에 나갈 계획을 세우는 분들이 많을 것 같다고 했으므로 ②는 정답이 아닙니다.
남자는 자신의 일이 어렵다고 언급하지 않았으므로 ③은 정답이 아닙니다.

※ [31~32] 다음을 듣고 물음에 답하십시오. (각 2점)

> 남자 : 수업 집중도를 높이려면 스마트폰을 교실에 가져오지 못하게 해야 한다고 생각해요. 요즘 학생들이 수업
> 중에 메시지 확인이나 게임 때문에 집중을 못 하는 경우가 너무 많잖아요.
> 여자 : 물론 그런 문제는 있지만, 필요할 때는 스마트폰을 교육 자료로 사용할 수도 있어서 완전히 금지하기는 어
> 렵다고 생각해요.
> 남자 : 그래도 스마트폰 때문에 수업에 방해가 되니까 교실에서 사용을 못 하게 하는 게 가장 확실하다고 생각해요.
> 여자 : 저는 무조건 금지하기보다는 교실에서의 사용 규칙을 정하는 등 좀 더 고민해 보면 좋겠어요.

31. 남자의 중심 생각으로 가장 알맞은 것을 고르십시오.

정답 ① ≫ p.100

해설

남자는 수업 집중도를 높이기 위해 스마트폰을 교실에 가져오지 못하게 해야 한다는 의견을 반복해서 제시하고 있으므로 ①이 정답입니다.

스마트폰을 교육 자료로 활용하자는 의견은 여자의 주장에 해당하므로 ②는 정답이 아닙니다.
스마트폰 문제가 자연스럽게 해결된다는 내용은 대화에서 언급되지 않았으므로 ③은 정답이 아닙니다.
규칙을 정해 관리하자는 입장은 여자가 제시한 방안이므로 ④는 정답이 아닙니다.

32. 남자의 태도로 가장 알맞은 것을 고르십시오.

정답 ② ≫ p.100

해설

남자는 여자의 반대 의견이 제시된 이후에도 "교실에서 사용을 못 하게 하는 게 가장 확실하다."라고 말하며 자신의 입장을 계속 유지하고 있습니다. 이는 자신의 의견을 일관되게 주장하는 태도를 보여 주므로 ②가 정답입니다.

여자의 의견에 적극 동의하는 태도는 보이지 않으므로 ①은 정답이 아닙니다.
문제의 불편함을 강조하기보다는 해결 방안에 대한 자신의 입장을 말하고 있으므로 ③은 정답이 아닙니다.
상대 의견을 일부 인정하며 타협안을 제시하는 태도는 여자의 입장에 가까우므로 ④는 정답이 아닙니다.

※ [33~34] 다음을 듣고 물음에 답하십시오. (각 2점)

> **여자** : 분말 소화기는 가장 널리 사용되는 소화기로, 안에 들어 있는 가루를 압력으로 뿜어내서 화재를 진압합니다. 초기 분말 소화기는 분사력이 약해 불꽃을 완전히 덮지 못하는 경우가 많았지만, 최근 모델은 분말 입자를 고르게 만들어서 화재 확산을 효과적으로 막을 수 있습니다. 특히 전기 화재나 기름 화재처럼 물을 쓰기 위험한 상황에서도 안전하게 사용할 수 있어 가정과 차량에 많이 갖추어 두고 있습니다. 다만 분말이 퍼진 후 청소가 어렵다는 단점 때문에 공공 기관에서는 거품 소화기를 함께 사용하는 경우가 많습니다.

33. 무엇에 대한 내용인지 알맞은 것을 고르십시오.

정답 ② ≫ p.101

해설

여자는 분말 소화기의 작동 원리, 초기 제품과 최근 제품의 차이, 사용 가능한 화재 유형, 그리고 장단점을 중심으로 설명하고 있습니다. 이는 분말 소화기가 어떤 특징을 지닌 소화기인지에 대한 내용이므로 ②가 정답입니다. 

소화기의 보관 방법에 대한 설명은 나오지 않으므로 ①은 정답이 아닙니다.
소방 장비의 점검 절차에 대한 내용은 언급되지 않았으므로 ③은 정답이 아닙니다.
화재의 원인이나 종류를 설명하는 내용이 아니므로 ④는 정답이 아닙니다.

34. 들은 내용과 같은 것을 고르십시오.

정답 ② ≫ p.101

해설

여자는 분말 소화기가 전기 화재나 기름 화재처럼 물을 사용하기 위험한 상황에서도 안전하게 사용할 수 있다고 설명하고 있으므로 ②가 정답입니다.

초기 분말 소화기는 분사력이 약했다고 설명하고 있으므로 ①은 정답이 아닙니다.
분말 소화기의 사용이 줄어들고 있다는 내용은 지문에 없으므로 ③은 정답이 아닙니다.
분말이 퍼진 뒤 청소가 어렵다는 단점이 있어 공공 기관에서는 다른 소화기를 함께 사용한다고 했으므로 ④는 정답이 아닙니다.

※ [35~36] 다음을 듣고 물음에 답하십시오. (각 2점)

> **남자** : 오늘 이 자리에서 시민 여러분과 함께 우리 도서관의 새 단장을 기념하게 되어 매우 기쁩니다. 이 도서관은 30년 넘게 지역의 지식과 문화의 중심 역할을 해 왔으나 시설이 오래되어 재정비가 꼭 필요한 상황이었습니다. 여러 차례 예산이 미뤄지기도 했지만, 시민 여러분의 지속적인 관심과 후원 덕분에 마침내 이처럼 새로운 모습으로 다시 문을 열게 되었습니다. 특히 어린이 전용 공간과 디지털 자료실을 크게 넓혀서 앞으로 더 많은 사람들이 편리하게 이용하실 수 있을 것입니다. 우리 도서관이 지역 문화의 든든한 기반이 되기를 기대합니다.

35. 남자가 무엇을 하고 있는지 고르십시오.

정답 ④　　　　　　　　　　　　　　　　　　　　　　　　　≫ p.101

해설

남자는 도서관이 새롭게 단장되어 다시 문을 열게 된 것을 기념하며, 그동안의 과정과 시민들의 도움에 대한 감사, 앞으로의 역할에 대한 기대를 함께 밝히고 있습니다. 이는 도서관의 재개관을 기념하며 소감과 기대를 전하는 발화이므로 ④가 정답입니다. 💡

도서관 이용 방법에 대한 구체적인 안내는 없으므로 ①은 정답이 아닙니다.
시민들에게 도서 기부를 요청하는 내용은 언급되지 않았으므로 ②는 정답이 아닙니다.
문제점을 지적하며 개선을 요구하기보다는 재개관을 긍정적으로 기념하고 있으므로 ③은 정답이 아닙니다.

36. 들은 내용과 같은 것을 고르십시오.

정답 ③　　　　　　　　　　　　　　　　　　　　　　　　　≫ p.101

해설

남자는 여러 차례 예산이 미뤄졌지만, 시민들의 지속적인 관심과 후원 덕분에 도서관이 새롭게 문을 열게 되었다고 설명하고 있습니다. 이는 시민들의 관심과 후원이 재개관에 기여했다는 내용과 일치하므로 ③이 정답입니다. 💡

예산이 충분했다는 내용은 없고, 오히려 예산이 미뤄졌다고 설명하고 있으므로 ①은 정답이 아닙니다.
도서관은 30년 넘게 운영되어 왔다고 했으므로 ②는 정답이 아닙니다.
어린이 전용 공간을 크게 넓혔다고 했으므로 공간이 없다는 내용은 맞지 않아 ④는 정답이 아닙니다.

※ [37~38] 다음을 듣고 물음에 답하십시오. (각 2점)

남자 : 업무 효율을 높이기 위해 카페인이 들어 있는 음료를 찾는 분들이 많아졌습니다. 어떻게 생각하시나요?
여자 : 네. 카페인은 일시적으로 집중력을 높여 주지만, 과도하게 섭취하면 불안감을 유발하고 수면에도 악영향을 줄 수 있습니다. 특히 공복에 마시면 심장 박동이 빨라질 수도 있습니다. 또 카페인에 민감한 사람은 신체 반응이 더 크게 나타나기 때문에 섭취량을 조절하는 것이 중요합니다. 결국 카페인을 적절히 섭취해야 꾸준한 집중력을 유지할 수 있으며, 무엇보다 자신의 몸 상태를 잘 파악해 알맞은 섭취 기준을 정하는 것이 필요합니다.

37. 여자의 중심 생각으로 가장 알맞은 것을 고르십시오.

 ① ≫ p.102

해설

여자는 카페인의 효과와 부작용을 함께 설명하며, 개인의 상태에 맞게 섭취량을 조절하는 것이 중요하다고 말하고 있습니다. 이는 카페인을 적절히 조절하여 섭취해야 한다는 주장이므로 ①이 정답입니다. 💡

카페인이 필수적이라고 말하지 않았고, 부작용도 함께 언급하고 있으므로 ②는 정답이 아닙니다.
공복에 마시면 심장 박동이 빨라질 수 있다고 했으므로 괜찮다는 내용은 맞지 않아 ③은 정답이 아닙니다.
심장 박동 증가에 대한 언급은 일부 설명일 뿐 중심 생각이 아니므로 ④는 정답이 아닙니다.

38. 들은 내용과 같은 것을 고르십시오.

 ③ ≫ p.102

해설

여자는 카페인에 민감한 사람일수록 신체 반응이 더 크게 나타난다고 설명하고 있으므로 ③이 정답입니다. 💡

카페인은 수면에 악영향을 줄 수 있다고 했으므로 ①은 정답이 아닙니다.
카페인을 많이 섭취하면 불안감이 유발된다고 했으므로 ②는 정답이 아닙니다.
업무에 도움이 되기 위해 반드시 카페인 음료를 마셔야 한다는 내용은 지문에 없으므로 ④는 정답이 아닙니다.

※ [39~40] 다음을 듣고 물음에 답하십시오. (각 2점)

> **여자**: 해양 플라스틱이 바다 생태계에 큰 영향을 주고 있군요. 이를 해결하기 위한 움직임에는 어떤 것들이 있을까요?
>
> **남자**: 최근에는 미생물을 활용하여 플라스틱을 자연적으로 녹여 없애는 연구가 활발히 진행되고 있습니다. 2010년대 후반부터 본격적으로 논의가 시작됐고, 요즘은 해양에 적용하는 실험도 점점 늘고 있습니다. 다만 국가마다 플라스틱을 녹이는 미생물을 바다에 넣는 기준이 다르고, 생태계에 미칠 영향에 대한 의견이 엇갈려 현장에 도입하기는 쉽지 않습니다. 그래서 아직은 해안을 청소하는 활동이나 플라스틱을 재활용하는 등의 방식으로 문제를 해결하는 경우가 많습니다.

39. 이 대화 전의 내용으로 가장 알맞은 것을 고르십시오.

정답 ② ≫ p.102

해설

여자는 해양 플라스틱이 바다 생태계에 큰 영향을 주고 있다고 말하며 질문을 시작하고 있습니다. 이는 앞선 대화에서 이미 해양 플라스틱으로 인해 바다 환경에 문제가 발생하고 있다는 내용이 제시되었음을 전제로 한 발화입니다. 따라서 ②가 정답입니다. 💡

플라스틱 문제에 대한 일반적인 관심 증가에 대한 언급은 없으므로 ①은 정답이 아닙니다.
미생물을 활용한 기술은 아직 연구 단계로, 널리 사용되고 있다고 볼 수 없으므로 ③은 정답이 아닙니다.
해양 플라스틱 문제가 자연적으로 해결된다고 설명한 내용은 없으므로 ④는 정답이 아닙니다.

40. 들은 내용과 같은 것을 고르십시오.

정답 ① ≫ p.102

해설

남자는 국가마다 미생물을 해양에 적용하는 기준이 다르고, 생태계에 미칠 영향에 대한 의견이 엇갈려 기술 도입이 쉽지 않다고 설명하고 있으므로 ①이 정답입니다. 💡

미생물을 이용한 기술은 2010년대 후반부터 논의가 시작되었다고 했으므로 최근에 처음 논의되었다는 내용은 맞지 않아 ②는 정답이 아닙니다.
해양 적용 실험이 점점 늘고 있다고 했으므로 한 번도 이루어지지 않았다는 내용은 틀려 ③은 정답이 아닙니다.
경제적 지원 확대에 대한 언급은 지문에 없으므로 ④는 정답이 아닙니다.

※ [41~42] 다음을 듣고 물음에 답하십시오. (각 2점)

> **여자**: 여러분, 유전자 검사를 받은 사람이 이미 천만 명을 넘어섰다는 사실을 알고 계십니까? 개인의 유전자 정보를 건강 관리에 활용하려는 움직임이 전 세계적으로 빠르게 확산되고 있습니다. 유전자 검사는 특정 질환의 발병 위험을 미리 확인해 그 질환을 조기에 발견하도록 돕습니다. 특히 암은 유전적으로 위험성이 높은 사람이 미리 알면, 조기 발견에 더 유리합니다. 또한 유전자 정보는 개인이 약물이나 특정 제품에 어떻게 반응하는지 알려 주기 때문에 부작용을 줄이는 데에도 활용됩니다. 이런 변화는 건강 관리가 기존의 평균적 기준에서 벗어나 개인 맞춤형 체계로 전환되고 있음을 의미합니다. 따라서 유전자 검사를 두려운 결과로만 받아들이기보다는 예방과 맞춤 치료를 위한 적극적 자원으로 활용할 필요가 있습니다.

41. 이 강연의 중심 내용으로 가장 알맞은 것을 고르십시오.

정답 ② ≫ p.103

해설

여자는 유전자 검사가 질병을 조기 발견하게 하고 약물 부작용을 줄여 '개인 맞춤형 체계'로의 전환을 이끈다고 설명하고 있습니다. 따라서 유전자 검사가 개인별 건강 관리에 유용한 자원이 된다는 내용인 ②가 정답입니다. ✓

유전자 검사 인구의 증가는 언급되었으나 의료 비용이 크게 줄었다는 결과는 언급되지 않았으므로 ①은 정답이 아닙니다.
유전자 검사는 예방을 돕는 도구일 뿐 질병을 막는 가장 확실한 방법이라고 단정할 수 없으므로 ③은 정답이 아닙니다.
검사 결과를 두려워하지 말고 적극적으로 활용하자는 것이 핵심입니다. 두려워하는 사람이 많다는 이야기는 없을 뿐만 아니라 현상에 집중한 보기인 ④는 정답이 아닙니다.

42. 들은 내용과 같은 것을 고르십시오.

정답 ① ≫ p.103

해설

강연 내용 중 "유전자 정보는 개인이 약물이나 특정 제품에 어떻게 반응하는지 알려 주기 때문"이라는 언급이 있으므로 ①이 정답입니다. ✓

유전자 검사를 받은 인구는 천만 명을 넘어섰다고 했으므로 백만 명에 불과하다는 ②는 정답이 아닙니다.
유전적으로 위험이 높은 사람이 미리 알면 암 조기 발견에 유리하다고 했으므로 관련 정보를 제공하지 않는다는 ③은 정답이 아닙니다.
부작용을 줄인다고 했지 완전히 없앨 수 있다고는 하지 않았으므로 ④는 정답이 아닙니다.

※ [43~44] 다음을 듣고 물음에 답하십시오. (각 2점)

> 남자 : 수백 년을 견디는 질긴 생명력과 숨 쉬는 듯한 부드러움. 이는 우리 조상들의 지혜가 깃든 전통 종이, 한지
> 이다. 깊은 산 속 닥나무의 껍질을 벗겨 내고, 정성껏 삶아 섬유질을 얻어 낸다. 이 섬유를 깨끗한 물에 여러
> 번 씻고 두드려 풀어 준 뒤, 닥풀이라는 식물에서 얻은 끈적한 액체와 함께 물속에 넣는다. 숙련된 장인의
> 손끝에서 섬유들이 고르게 엮이며 얇고 견고한 종이 한 장이 태어난다. 습기와 벌레에도 강해 천 년을 간다
> 는 한지는 우리 선조들의 지혜과 예술혼이 깃들어 있는 소중한 문화유산이다. 요즘에는 그림이나 공예품뿐
> 만 아니라 옷이나 가구 같은 다양한 물건에도 쓰이며 새로운 가치를 만들고 있다.

43. 무엇에 대한 내용인지 알맞은 것을 고르십시오.

정답 ② ≫ p.103

해설

남자는 한지가 천 년을 견딜 만큼 보존성이 뛰어나며, 현대에도 다양한 물건에 쓰여 새로운 가치를 만들고 있다고
설명합니다. 따라서 한지의 가치와 보존성을 강조하는 ②가 정답입니다. 💡

제작 재료는 내용의 일부일 뿐 전체 주제를 포괄하지 못하며 성분 분석은 언급되지 않았으므로 ①은 정답이 아닙니다.
제작 과정은 설명하고 있으나 그 과정에 숨겨진 과학적 원리를 밝히는 내용은 아니므로 ③은 정답이 아닙니다.
한지가 새로운 가치를 만들고 있다는 긍정적인 전망을 제시하고 있으므로 위기를 다룬다는 ④는 정답이 아닙니다.

44. 한지의 특징으로 맞는 것을 고르십시오.

정답 ① ≫ p.103

해설

한지는 우리 선조들의 지혜와 예술혼이 깃든 소중한 문화유산이라고 언급했으므로 ①이 정답입니다. 💡

한지는 습기와 벌레에도 강해 천 년을 간다고 했으므로 쉽게 손상된다는 ②는 정답이 아닙니다.
닥나무 껍질과 섬유질 등 여러 재료가 함께 언급되었으므로 닥풀이 유일한 재료라는 ③은 정답이 아닙니다.
숙련된 장인의 손끝에서 섬유가 고르게 엮인다고 했으므로 장인 없이 쉽게 만든다는 ④는 정답이 아닙니다.

※ [45~46] 다음을 듣고 물음에 답하십시오. (각 2점)

> 여자 : "낮말은 새가 듣고 밤말은 쥐가 듣는다."라는 속담, 한 번쯤 들어보셨지요? 언제나 말조심을 해야 한다는 뜻으로 알려져 있지만, 이 속담에는 과학적인 원리도 숨어 있습니다. 소리는 기온이 높을수록 빠르고, 낮을수록 느리게 퍼져 나가는데, 낮에는 지면이 햇볕을 받아 따뜻해지면서 땅과 하늘의 기온 차가 크게 벌어집니다. 이때 지면 가까이에서 난 소리는 공기가 더 차가운 상공 쪽으로 굴절되며 위로 올라가게 되고, 하늘을 나는 새가 그 소리를 더 잘 들을 수 있게 됩니다. 반대로 밤에는 지면이 빠르게 식어 지면 부근의 공기가 더 차가워지고, 위쪽 공기는 상대적으로 따뜻해집니다. 이때는 공중에서 퍼진 소리가 아래쪽으로 굴절되어 지면으로 내려와 땅 가까이에 사는 쥐가 작은 소리도 더 잘 감지하게 되는 것이지요.

45. 들은 내용과 같은 것을 고르십시오.

정답 ③ ≫ p.104

해설

밤에는 지면이 식어 소리가 아래쪽으로 굴절되어 내려오기 때문에 땅 가까이 사는 쥐가 소리를 더 잘 듣게 됩니다. 따라서 ③이 정답입니다. 💡

낮에는 소리가 위쪽으로 굴절되어 올라간다고 했으므로 지면 쪽으로 내려온다는 ①은 정답이 아닙니다.
소리는 기온이 높을수록 빠르다고 설명했으므로 낮을수록 빠르다는 ②는 정답이 아닙니다.
낮에는 지면의 온도가 올라가며 땅과 하늘의 기온 차가 크게 벌어진다고 했습니다. 온도가 전체적으로 높다는 내용과 다르므로 ④는 정답이 아닙니다.

46. 여자가 말하는 방식으로 알맞은 것을 고르십시오.

정답 ② ≫ p.104

해설

여자는 "낮말은 새가 듣고 밤말은 쥐가 듣는다."라는 속담을 인용한 뒤, 기온 차에 의한 소리의 굴절이라는 과학적 원리를 설명하고 있습니다. 따라서 ②가 정답입니다. 💡

통계 자료를 제시하거나 문제점을 지적하는 방식이 아니므로 ①은 정답이 아닙니다.
반대 의견과 논쟁하며 자신의 견해를 증명하는 상황이 아니므로 ③은 정답이 아닙니다.
전문가의 의견을 빌려 소리를 분석하는 것이 아니라 일반적인 과학 원리를 설명하고 있으므로 ④는 정답이 아닙니다.

※ [47~48] 다음을 듣고 물음에 답하십시오. (각 2점)

> **여자**: 최근 여러 나라에서 로봇세 도입 논의가 계속되고 있습니다. 로봇세가 어떤 목적에서 나온 방안인지 설명해 주시겠습니까?
>
> **남자**: 네. 로봇세는 자동화로 인해 일자리가 줄고 소득 격차가 커지는 문제를 완화하기 위해 제안되었습니다. 로봇을 사용해 얻은 이익의 일부를 세금으로 걷어 실직자를 지원하거나 다른 복지에 쓰자는 목적이지요. 취지 자체는 분명 의미가 있지만 실제 도입을 둘러싼 우려가 더 크게 제기되고 있습니다. 로봇세가 부과되면 기업은 자동화에 투자하기 어렵고, 그 결과 기술 혁신이 늦어질 것입니다. 또한 로봇과 인간 노동의 기여도를 어떻게 구분해 세금을 부과할지 기준을 정하기도 쉽지 않고요. 결국 로봇세는 긍정적인 면도 있으나, 도입 과정에서 해결해야 할 문제와 논란이 적지 않은 정책이라고 할 수 있습니다.

47. 들은 내용과 같은 것을 고르십시오.

정답 ④　　　　　　　　　　　　　　　　　　　　　　　　≫ p.104

해설

여자가 대화 시작 부분에서 "최근 여러 나라에서 로봇세 도입 논의가 계속되고 있습니다."라고 했으므로 ④가 정답입니다.

남자는 로봇세가 부과되면 자동화에 투자하기 어려워질 것이라고 우려했으므로 산업을 활성화한다는 ①은 정답이 아닙니다.
소득 격차 완화가 로봇세 도입의 목적이므로 ②는 정답이 아닙니다.
기술 혁신은 로봇세로 인해 늦어질 수 있는 대상이지 로봇세의 목적이 아닙니다. 로봇세의 목적은 실직자 지원 및 복지이므로 ③은 정답이 아닙니다.

48. 남자의 태도로 알맞은 것을 고르십시오.

정답 ①　　　　　　　　　　　　　　　　　　　　　　　　≫ p.104

해설

남자는 로봇세의 취지에는 공감하지만, 기술 혁신 방해와 부과 기준의 모호함 등 발생할 수 있는 문제점들을 지적하고 있습니다. 따라서 ①이 정답입니다.

도입의 필요성보다 우려되는 점을 더 비중 있게 다루고 있으므로 ②는 정답이 아닙니다.
해결해야 할 문제들이 있다고 언급했을 뿐 구체적인 해결 과제나 대안을 제시하지 않았으므로 ③은 정답이 아닙니다.
객관적인 입장에서 정책의 장단점을 분석하고 있을 뿐 개인적인 부담을 토로하는 것이 아니므로 ④는 정답이 아닙니다.

※ [49~50] 다음을 듣고 물음에 답하십시오. (각 2점)

> 남자 : 온라인 플랫폼에서는 같은 주제를 검색해도 사람마다 다른 정보가 보이는데, 이를 '필터 버블'이라고 합니다. 플랫폼은 사용자가 무엇을 검색했는지, 어떤 내용에 관심을 보였는지, 얼마나 오래 머물렀는지 같은 이용 기록을 계속 모읍니다. 그리고 이 자료를 바탕으로 각자에게 맞는 정보만 골라 보여 주므로 사람마다 보게 되는 정보가 달라지는 거죠. 처음엔 필요한 정보를 빠르게 찾을 수 있어 편리하지만, 시간이 지나면 문제가 나타납니다. 사용자는 익숙한 관점의 정보만 반복해서 접하게 되고, 반대 의견이나 새로운 분야의 정보는 거의 보지 못하게 됩니다. 이런 상태가 계속되면 사고가 편향되고, 다른 의견을 이해하거나 받아들이기 어려워집니다. 한쪽으로 치우친 사고는 사회 전체의 의견을 양극화하고, 결국 집단 간 분열을 심화하는 결과로 이어질 수 있습니다.

49. 들은 내용과 같은 것을 고르십시오.

정답 ①　　　　　　　　　　　　　　　　　　　　　　　　≫ p.105

해설

플랫폼은 사용자가 무엇을 검색하고 어디에 관심을 보였는지 등의 이용 기록을 계속 모은다고 했으므로 ①이 정답입니다. 

이용 기록 자료를 바탕으로 정보를 골라 보여 주어 정보를 '빠르게' 찾을 수 있도록 돕는다고 했으므로 ②는 정답이 아닙니다.
필터 버블은 반대 의견이나 새로운 분야의 정보를 보지 못하게 차단하므로 접근을 촉진한다는 ③은 정답이 아닙니다.
사람마다 보게 되는 정보가 달라진다고 했으므로 모두 동일한 화면이 나타난다는 ④는 정답이 아닙니다.

50. 남자가 말하는 방식으로 알맞은 것을 고르십시오.

정답 ④　　　　　　　　　　　　　　　　　　　　　　　　≫ p.105

해설

남자는 사용자가 익숙한 정보만 반복해서 접하게 될 때 사고가 편향되고 사회가 양극화되는 등의 부작용을 설명하고 있습니다. 따라서 ④가 정답입니다.

정보의 정확성에 의문을 제기하는 것이 아니라 정보가 편향되어 제공되는 상황을 다루고 있으므로 ①은 정답이 아닙니다.
필터 버블의 문제를 지적했을 뿐 이를 해결할 수 있는 구체적인 방법은 제시하지 않았으므로 ②는 정답이 아닙니다.
정보를 빨리 찾는 편리함은 언급만 했을 뿐 전체적으로는 부정적 결과에 무게를 두고 있으므로 ③은 정답이 아닙니다.

저자 소개

강경민
서강대학교 대우교수
서울대학교 대학원 한국어교육전공 박사

김승수
명지대학교 한국어교육센터 및 숙명여자대학교 글로벌어학원 강사
명지대학교 교육대학원 한국어교육전공 석사

김지혜
명지대학교 조교수
서울대학교 대학원 한국어교육전공 박사

김풀잎
서울대학교 언어교육원 전임강사
서울대학교 대학원 한국어교육전공 박사

린미
경기외국어고등학교 교사
서울대학교 대학원 한국어교육전공 박사수료

부이티낌응언
㈜와이이오 주임
국제언어대학원대학교 한·베 통번역학 석사

양길류
중국전매대학교 교수트랙 박사후연구원
서울대학교 대학원 한국어교육전공 박사

쩐후인안트
㈜에프피티소프트웨어코리아 프로젝트매니저
경희대학교 대학원 국제경영전공 석사

최단
스누디딤돌학교 한국어강사
서울대학교 대학원 한국어교육전공 박사수료

홍고은
서강대학교 한국어교육원 대우전임강사
서울대학교 대학원 한국어교육전공 박사수료

TOPIK Ⅱ 듣기

초판 인쇄 | 2026. 4. 10.　**초판 발행** | 2026. 4. 15.
공편저자 | 강경민, 김승수, 김지혜, 김풀잎, 린미, 부이티낌응언, 양길류, 쩐후인안트, 최단, 홍고은
발행인 | 박 용　**발행처** | ㈜박문각출판　**등록** | 2015년 4월 29일 제2019-000137호
주소 | 06654 서울시 서초구 효령로 283 서경 B/D 4층　**팩스** | (02)584-2927
전화 | 교재 문의 (02)6466-7202

저자와의
협의하에
인지생략

정가 46,000원(총 3권)
ISBN 979-11-7519-856-2 | 979-11-7519-855-5(set)

한국어능력시험 TOPIK II
제___회 실전 모의고사

1교시 (듣기)

성 명 (Name)	한 국 어 (Korean)	
	영 어 (English)	

수 험 번 호

8

문제지 유형 (Type)

| 홀수형(Odd number type) | |
| 짝수형(Even number type) | |

※결 시 확인란	결시자의 영어 성명 및 수험번호 기재 후 표기	

본인 확인 및 수험번호 표기가 정확한지 확인

※감독관 확 인	서명 또는 날인

번호	답란			
1	①	②	③	④
2	①	②	③	④
3	①	②	③	④
4	①	②	③	④
5	①	②	③	④
6	①	②	③	④
7	①	②	③	④
8	①	②	③	④
9	①	②	③	④
10	①	②	③	④
11	①	②	③	④
12	①	②	③	④
13	①	②	③	④
14	①	②	③	④
15	①	②	③	④
16	①	②	③	④
17	①	②	③	④
18	①	②	③	④
19	①	②	③	④
20	①	②	③	④

번호	답란			
21	①	②	③	④
22	①	②	③	④
23	①	②	③	④
24	①	②	③	④
25	①	②	③	④
26	①	②	③	④
27	①	②	③	④
28	①	②	③	④
29	①	②	③	④
30	①	②	③	④
31	①	②	③	④
32	①	②	③	④
33	①	②	③	④
34	①	②	③	④
35	①	②	③	④
36	①	②	③	④
37	①	②	③	④
38	①	②	③	④
39	①	②	③	④
40	①	②	③	④

번호	답란			
41	①	②	③	④
42	①	②	③	④
43	①	②	③	④
44	①	②	③	④
45	①	②	③	④
46	①	②	③	④
47	①	②	③	④
48	①	②	③	④
49	①	②	③	④
50	①	②	③	④

한국어능력시험 TOPIK II
제___회 실전 모의고사

1 교시 (듣기)

성 명 (Name)	한 국 어 (Korean)	
	영 어 (English)	

수 험 번 호

8

문제지 유형 (Tybe)

홀수형(Odd number tybe) ◯

짝수형(Even number tybe) ◯

※결 시 확인란	결시자의 영어 성명 및 수험번호 기재 후 표기	◯

본인 확인 및 수험번호 표기가 정확한지 확인

※감독관 확 인	서명 또는 날인

번호	답 란	번호	답 란	번호	답 란
1	① ② ③ ④	21	① ② ③ ④	41	① ② ③ ④
2	① ② ③ ④	22	① ② ③ ④	42	① ② ③ ④
3	① ② ③ ④	23	① ② ③ ④	43	① ② ③ ④
4	① ② ③ ④	24	① ② ③ ④	44	① ② ③ ④
5	① ② ③ ④	25	① ② ③ ④	45	① ② ③ ④
6	① ② ③ ④	26	① ② ③ ④	46	① ② ③ ④
7	① ② ③ ④	27	① ② ③ ④	47	① ② ③ ④
8	① ② ③ ④	28	① ② ③ ④	48	① ② ③ ④
9	① ② ③ ④	29	① ② ③ ④	49	① ② ③ ④
10	① ② ③ ④	30	① ② ③ ④	50	① ② ③ ④
11	① ② ③ ④	31	① ② ③ ④		
12	① ② ③ ④	32	① ② ③ ④		
13	① ② ③ ④	33	① ② ③ ④		
14	① ② ③ ④	34	① ② ③ ④		
15	① ② ③ ④	35	① ② ③ ④		
16	① ② ③ ④	36	① ② ③ ④		
17	① ② ③ ④	37	① ② ③ ④		
18	① ② ③ ④	38	① ② ③ ④		
19	① ② ③ ④	39	① ② ③ ④		
20	① ② ③ ④	40	① ② ③ ④		